こいぬとこねこの おかしな話

ヨゼフ・チャペック作
木村有子訳

岩波少年文庫 240

アレンカとすべての子どもたちへ

Josef Čapek

POVÍDÁNÍ O PEJSKOVI A KOČIČCE
Jak spolu hospodařili a ještě o všelijakých jiných věcech

1929

もくじ

こいぬとこねこが床《ゆか》をあらった話《はなし》……9
こいぬのズボンがやぶけた話《はなし》……27
こいぬとこねこが十月二十八日《じゅうがつにじゅうはちにち》をおいわいした話《はなし》……45
クリスマスにチャペックさんを助《たす》けた話《はなし》……59
ニンブルクの女《おんな》の子《こ》たちに手紙《てがみ》を書《か》いた話《はなし》……77
ふたりのねまきちゃんの話《はなし》……97

ドマジリッツェの男の子《おとこのこ》たちの話《はなし》……113
こいぬとこねこがおいわいのケーキをやいた話《はなし》……133
しくしくないていた人形《にんぎょう》の話《はなし》……153
こいぬとこねこがおしばいをした話《はなし》……171
訳者《やくしゃ》あとがき　193

さし絵《え》　ヨゼフ・チャペック
（カバー画は、チャペックによるイラストを
コラージュしたものです）

こいぬとこねこのおかしな話《はなし》

こいぬとこねこが床《ゆか》をあらった話《はなし》

むかし、森《もり》の近《ちか》くの小《ちい》さな一軒家《いっけんや》に、こいぬとこねこがくらしていました。ふたりは、うちのことでもなんでも、人間《にんげん》のおとなと同《おな》じようにやりたいと思《おも》っていましたが、いつもうまくいくとは、かぎりませんでした。というのも、こいぬとこねこの手《て》には、人間《にんげん》のような長《なが》いゆびはなく、ふかふかの小《ちい》さなクッションと、つめしかなかったからです。学校《がっこう》にも通《かよ》っていませんでした。学校《がっこう》というのは、動物《どうぶつ》のためではなく、人間《にんげん》の子《こ》どものためにありますからね。

こいぬとこねこのうちの中《なか》のようすといったら、まあ、ほんとうにいろいろごったがえしていました。きちんとかたづけていることもあれば、そうでないことも、ありました。

ある日《ひ》、ふたりは床《ゆか》がきたないことに気《き》がつきました。

「ねえ、こいぬくん。なんだか床《ゆか》がきたないと思《おも》わない？」と、こねこはいいました。

「うん、けっこうよごれているね。ぼくの手《て》や足《あし》のうらも、ほら、まっ黒《くろ》！」と、こいぬがいいました。

「わあ、すっごくきたない。きれいにしなくちゃ、はずかしいわ。人間《にんげん》は、ときどき床《ゆか》をあらってきれいにしているのよ。こんなきたない家《いえ》には住《す》まないわ。」と、こねこはいいました。

「わかった。でも、どうやってきれいにしたらいいのかな。」と、こいぬが聞《き》きました。

「かんたんよ。こいぬくんは、水《みず》をくみに行《い》ってくれる？　わたしは、ほかの用意《ようい》をしておくから。」と、こねこがいいました。

こいぬは、なべを持《も》って水《みず》をくみに行《い》きました。こねこは、大《おお》きなかばんから、せっけんをひとつ取《と》りだして、テーブルの上《うえ》におきました。そして、食料《しょくりょう》をしまってある部屋《へや》に行《い》きました。こねこが大好《だいす》きなネズミのくんせいを、取《と》りに行《い》ったのかもしれません。

こいぬが水《みず》をくんでもどってくると、テーブルの上《うえ》に何《なに》か見《み》つけました。四角《しかく》いつつみを開《あ》けると、中《なか》からピンク色《いろ》のものが出《で》てきました。

「わあ、おいしそうだなあ。」こいぬは、それをポンと口《くち》にほうりこんで、

ムシャムシャとかみはじめました。でも、それは顔《かお》がゆがむほどへんな味《あじ》だったのです。

そこへ、こねこがもどってくると、こいぬがゲホッ、ゲホッと、せきこんでいるではありませんか！　よく見《み》ると、こいぬの口《くち》から、あわがふきだし、目《め》から、なみだが流《なが》れています。

「どうしたの、こいぬくん!?」こねこは、さけびました。

「何《なに》があったの？　病気《びょうき》？　やだ、口《くち》からあわが出《で》てるじゃない。どうしちゃったの？」

「う……ん、テーブルの上《うえ》に何《なに》かあって……、チーズかおかしかなと思《おも》って……食《た》べたら……ヒリヒリして……口《くち》の中《なか》で、あわがぶくぶく……。」

「ほんとうに、おばかさんねえ。これはせっけんよ！　せっけんは、何《なに》かをあらうためのもので、食《た》べるものじゃないの。」

「あっ、そうか。だからか……。ああ、まだヒリヒリしているよ……。」と、こいぬがいうと、こねこは、「お水《みず》をたくさん飲《の》んで。ヒリヒリしなくなるから。」と、こいぬに教《おし》えました。

こいぬは、くんであったなべの水《みず》をぜんぶ飲《の》んでしまいました。ヒリヒリするのは、おさまりましたが、まだ鼻《はな》の先《さき》にあわがのこっていました。そこで、草《くさ》むらへ行《い》って鼻《はな》をふいて、それからもう一度《いちど》水《みず》をくみに行《い》きました。

そのあいだに、こねこは、一《いち》コルナ*を持《も》って、新《あたら》しいせっけんを買《か》いに行《い》きました。

こねこが買《か》ってきたせっけんを見《み》て、こいぬはいいました。

「もう、これは、ぜったいに食《た》べないよ。だけど、ブラシがないのに、どうやって床《ゆか》をきれいにあらうの？」

「わたしも考《かん》えていたのよ。こいぬくんのかたい毛《け》は、ブラシのようでしょ。だから、こいぬくんの毛《け》で、床《ゆか》をゴシゴシあらうのはどうかしら？」

「うん、そうしよう。」と、こいぬはいいました。

こねこは、水《みず》の入《はい》ったなべとせっけんをおくと、こいぬをブラシのように持《も》って、床《ゆか》をゴシゴシこすりはじめ、とうとうすべてあらいおわりました。

でも、床《ゆか》はびしゃびしゃで、あまりきれいになったとはいえませんでした。

「何《なに》か、かわいた布《ぬの》があれば、床《ゆか》をふくのにねえ。」と、こねこはいいました。

「そうだ！　いいことを思《おも》いついた！　ぼくは、ぬれちゃったけど、こねこさんの毛《け》はかわいているでしょ。それに、タオルのようにやわらかいから、

今度《こんど》は、こねこさんで床《ゆか》をふくよ。」

こいぬはそういうと、こねこを持《も》って、床《ゆか》をすみからすみまでふきました。

床《ゆか》は、すっかりきれいになって、かわきました。そのかわり、こいぬとこねこは、ずぶぬれで、とてもきたなくなってしまったのです。こいぬはブラシ、こねこはタオルになりましたからね。

「わあ、きったない！」ふたりは自分《じぶん》たちのすがたを見《み》ておどろき、「床《ゆか》はきれいになったのに、これじゃ人間《にんげん》にわらわれちゃう。そうだ、せんたくしよう！」といいました。

「ぼくたち、せんたくものになって、自分《じぶん》たちをあらおうよ。こねこさんがぼくをあらってくれたら、今度《こんど》はぼくが、こねこさんをあらうよ。」と、こいぬがいいました。

「いいわよ。」と、こねこはいいました。

そして、ふたりはたらいに水《みず》を入《い》れて、せんたく板《いた》を用意《ようい》しました。さいしょに、たらいに入《はい》ったのは、こいぬでした。こねこは、せんたく板《いた》の上《うえ》のこいぬを、ゴシゴシと強《つよ》くこすったので、「こねこさんったら、そんなに力《ちから》を入《い》れないで。足《あし》が、からまっちゃう。」と、こいぬがたのみました。

こいぬのせんたくがおわり、今度《こんど》はこねこがたらいに入《はい》りました。こいぬは、せんたく板《いた》の上《うえ》のこねこを、ぎゅうぎゅう押《お》してあらったので、こねこは、「こいぬくんったら、そんなに強《つよ》く押《お》さないで。毛皮《けがわ》に、あながあいちゃうわ。」といいました。

それから、こうたいで、こいぬがこねこを、こねこがこいぬを、ギュギュッとしぼりました。

「じゃあ、今度《こんど》はほしましょう!」と、こねこがいいました。

そして、せんたくひもを用意《ようい》すると、「まず、わたしをほしてね。わたしが、そろりと下《お》りて、今度《こんど》はこいぬくんをほすから。」と、こねこは、こいぬにいいました。

こいぬは、こねこを持《も》ちあげて、ほしました。まるで本物《ほんもの》のせんたくもののようでした。せんたくばさみは、いりませんでした。なぜって、こいぬとこねこには、ひっかける、つめがありましたからね。こねこがほしてもらうと、ひもから下《お》りて、今度《こんど》はこいぬをほしました。

こうしてふたりは、せんたくひもにぶらさがって、お日《ひ》さまをあびました。

「お日《ひ》さまがあたって、なんて気持《きも》ちがいいんだろう。せんたくものはすぐに、かわくね。」と、こいぬが、まだいいおわらないうちに、とつぜん雨《あめ》

がふってきました。

「雨《あめ》だ！」こいぬとこねこは、さけびました。

「せんたくものがぬれちゃう！　とりこまないと！」ふたりは、せんたくひもからすぐにとびおりると、家《いえ》まで走《はし》って屋根《やね》の下《した》へにげこみました。

「雨《あめ》、まだふってるかしら？」と、こねこが聞《き》くと、こいぬが、「もう、やんだみたいだよ。」と、いいました。空《そら》を見《み》ると、ほんとうにお日《ひ》さまが顔《かお》を出《だ》していました。

「じゃあ、またせんたくものを、ほしに行《い》きましょう！」と、こねこがいいました。

さいしょに、こいぬがこねこを、せんたくひもに、ほしました。こねこがほしてもらうと、今度《こんど》はひもから下《お》りて、こいぬをほしました。

こうして、ふたりがせんたくひもにぶらさがっているようすは、まるで本《ほん》物《もの》のせんたくもののようでした。そして、「またお日《ひ》さまが出《で》てよかった、よかった。すぐにかわくね。」とふたりはよろこびました。ところが、また雨《あめ》がふってきたのです！

「雨《あめ》だ！　せんたくものがぬれちゃう！」こいぬとこねこはさけぶと、家《いえ》まで走《はし》って屋根《やね》の下《した》で、雨《あま》やどりをしました。すると、またお日《ひ》さまが出《で》たので、せんたくひもにぶらさがり、また雨《あめ》がふってきたので、屋根《やね》の下《した》にかくれ、またお日《ひ》さまが出《で》たので、せんたくひもにぶらさがり……こうして何《なん》度《ど》もくりかえして、とうとう夜《よる》になってしまいました。でも、ふたりは、もうすっかりかわいていたのです。

「せんたくものが、かわいたから、そろそろかごに入《い》れようか。」と、ふたりはいいました。

そして、こいぬとこねこは、そうっとかごに入《はい》って丸《まる》くなりました。すると、いつのまにかねむくなって、朝《あさ》まで、ぐっすりねむってしまいました。

＊コルナ……チェコスロバキア共和国《きょうわこく》時代《じだい》から続《つづ》く通貨単位《つうかたんい》。

こいぬのズボンがやぶけた話《はなし》

むかし、こいぬとこねこが、いっしょにくらしていたころのお話《はなし》です。床《ゆか》をあらって、よごれてしまった自分《じぶん》たちのことをせんたくして、そのあとせんたくひもにぶらさがって、お日《ひ》さまでかわかしたことは、このまえお話《はな》ししましたよね。それから毎日《まいにち》、こいぬとこねこは、うちの中《なか》をきれいにしたり、料理《りょうり》をしたりしてすごしました。

春《はる》の復活祭《ふっかつさい》*の日曜日《にちようび》のことでした。お日《ひ》さまが出《で》ていたので、ふたりはいっしょに出《で》かけることにしました。

「じゃあ、森《もり》へさんぽに行《い》こうか。こんなに天気《てんき》がいいんだから、森《もり》へ行《い》かないなんて、もったいないよ。」と、こいぬがいいました。

「そうね、森《もり》へ行《い》きましょう。」と、こねこもいいました。

「お日《ひ》さまがてっているなら、日《ひ》がさをさして、おしゃれをして森《もり》を歩《ある》きたかったわ。日《ひ》がさをさして歩《ある》くこねこなんて、まだだれも見《み》たことがないでしょう。」

「こねこさんは、少《すこ》しぐらい日《ひ》やけしたっていいと思《おも》うけどなあ。長《なが》い冬《ふゆ》のあいだに、なんだか白《しろ》くなったみたいだよ。だからさ、そんなにずっと体《からだ》をペロペロなめていないで、もう出《で》かけようよ！」と、こいぬがいいました。

「日曜日《にちようび》にお出《で》かけするときは、少《すこ》しはきれいにしておかないと。」と、こねこはいいました。

「人間《にんげん》ってね、身《み》だしなみに、ちょっと気《き》をつけるものなのよ。まあ、こいぬくんったら、自分《じぶん》をごらんなさいよ。片方《かたほう》の耳《みみ》が上《うえ》をむいて、片方《かたほう》の耳《みみ》がだらんとたれさがってるじゃない。耳《みみ》というのは、両方《りょうほう》がそろっていないと、おかしいわ!」

そこで、こいぬは両方《りょうほう》の耳《みみ》をピンとそろえて、出《で》かけることにしました。

ふたりは歩《ある》きながら、森《もり》で何《なに》をしてあそぼうか、相談《そうだん》しました。かくれんぼをしようか。それともヘンゼルとグレーテルごっこをしようか。おいかけっこもいいねえ。あそんだあとは、草《くさ》むらでゴロンとねころがって、青《あお》い空《そら》を見《み》あげようか。

ふたりが歩《ある》いていくようすを、やぶの中《なか》から、うさぎが見《み》ていました。

「あははは。あのこいぬったら、おかしいなあ。片方《かたほう》の耳《みみ》が上《うえ》をむいて、

もう片方《かたほう》の耳《みみ》が下《した》をむいているよ！　こんなかんじ。」そういって、こいぬのまねをしました。でも、ほんとうにそうだったんです。こいぬは、うっかりしていました。いつのまにか耳《みみ》は、あっちをむいたり、こっちをむいたりしていました。

「ほら、ごらんなさい。うさぎが、こいぬくんをわらってる！」と、こねこがいいました。こいぬはおこって、うさぎのあとを追《お》いかけ、やぶへ走《はし》りました。でも、うさぎはとっくににげてしまって、どこにもすがたはありませんでした。

「やぶの中《なか》が、とげだらけじゃなかったら、うさぎに追《お》いつけたのになあ。」と、こいぬがいいました。

「せっかくの服《ふく》が、とげで、だいなしになっちゃうわよ。」と、こねこがいいました。そして、さらに森《もり》のほうへ歩《ある》いていきました。

すると、道《みち》のとちゅうで、ハイキングに来《き》ていた、たくさんの子《こ》どもたちに会《あ》いました。タラントフさんちのミランとミレナ、ノイマンさんちのミミとヘレナ、チャペックさんちのアレンカもいました。こいぬとこねこが、とってもゆうがに歩《ある》いていたので、子《こ》どもたちはうっとりながめていました。ところが、急《きゅう》にわっとわらいだしたのです。

「やーい、やーい。ねえ、ねえ、みんな見《み》てごらん。こいぬのズボンがやぶけているよ！　ズボンのあなから、中《なか》のシャツが見《み》えてるぞ！」

「えっ、ぼくのズボンが、やぶけてるだって!?　ねえ、こねこさん見《み》てみてよ。やぶけてないでしょ？」こいぬが聞《き》きました。こねこは、こいぬのズボンを、すみからすみまでながめました。

「あ～あ、こいぬくんたら、ズボンがやぶけてるわ。ズボンのおしりのところが、大《おお》きくさけてる。まあ、はずかしい。」

「うさぎを追《お》いかけて、やぶに入《はい》ったとき、とげにひっかかったんだな。」

こいぬは、がっかりしました。

「せっかくの復活祭《ふっかつさい》に、ズボンがやぶけちゃって、ほんとうにこまったなあ。あなをふさげたらなあ。こねこさん、はりと糸《いと》、持《も》ってない？」

「持《も》ってないわ。でも、とちゅうで、ひもとか、にたようなものが見《み》つかるかもよ。」

こいぬが、まわりを見《み》わたすと、何《なに》か見《み》つけました。「ほら、あそこに何《なに》か落《お》ちてる！」それは長《なが》いミミズでした。ミミズは、まっすぐのびきっていて、だれにも見《み》つかっていないと、思《おも》っていました。

「これ、まっすぐだから、きっとえんぴつよ！」こねこがミミズをつつくと、ミミズはおどろいて丸《まる》くなりました。

「ちがうよ。よく見《み》てごらん。ひもだよ！　これで、ぼくのズボンのあなを、ぬってよ！」

こねこは、ミミズをひろって、こいぬのズボンのあなをぬいました。

「よし！　これで、もうだれにも、わらわれないよ。」こいぬは、すっかりうれしくなって、白雪《しらゆき》ひめと七人《しちにん》のこびとの話《はなし》をこねことしながら、先《さき》へと歩《ある》いていきました。

ふたりが歩《ある》いていくうちに、ミミズははっと気《き》がつきました。

「ぼく、ひもじゃなくって、ミミズなんだよ。」ミミズは少《すこ》し考《かんが》えて、ゆっくりとズボンから、体《からだ》をよじってはい出《だ》してきました。こねこが、ミミズを

つかって、ズボンのあなを、あちこちからぬったので、ミミズが体《からだ》をほどくのはたいへんでした。そして、ようやく体《からだ》の半分《はんぶん》まで外《そと》に出《で》たときのことです。

「ねえ、ぼくミミズなんだってば。ぼくの体《からだ》が、ぜ~んぶ外《そと》に出《で》たら、きっとわかってもらえるんだけどなあ。」と、いいました。

そのとき、近《ちか》くを、ニワトリが通《とお》りかかりました。すると、こいぬのズボンから、ちょうどミミズがはい出《だ》しているではありませんか。

「ちょいと、お待《ま》ちなさいな!」と、ニワトリはこいぬにいいました。

「ほら、ここに……」といって、ミミズをくちばしでひっぱり出《だ》したかと思《おも》うと、つるんと飲《の》みこんでしまいました。「ここに、ミミズがいたのよ。きっと、ズボンにあなをあけちゃったんだわ。ミミズがズボンに、あなをあけるなんて、おかしなことがあるものね。おしおきしておきましたよ。わたしが、食《た》べちゃったから。」

こねこが見《み》ると、またこいぬのズボンのあなが、大《おお》きく開《ひら》いているではありませんか。

「これは、ズボンのあなをぬうための、ひもだったのよ。」と、こねこは、ニワトリにいいました。「だけど、おばさんは、それを食《た》べちゃったのよ！こいぬくんのズボンを、今度《こんど》は何《なに》でぬったらいいの？」

「いいえ、とんでもない！あれは、ひもなんかじゃなくて、まちがいなくミミズでしたよ。あの、くるんと丸《まる》くなるのを見《み》ていたら、わかったのにね！わたしは、ミミズのことはよく知《し》っていますよ。ちょうどおなかがすいて、食《た》べたかったところなのよ。もし、そのズボンのあなを、かがりたけ

れば……復活祭《ふっかつさい》の日曜日《にちようび》に、あなのあいたズボンで歩《ある》くのもはずかしいでしょうしねえ……はりと糸《いと》は、ざんねんながら、持《も》ってないけど、もう少《すこ》し先《さき》に、仕立屋《したてや》さんがあるから、ぬってくれるはずですよ。」

そこで、こいぬとこねこは、仕立屋《したてや》さんへ行《い》きました。

「まあ、大《おお》きなあなだこと。きょうは復活祭《ふっかつさい》の日曜日《にちようび》で、お休《やす》みなんだけど……。でも、お手《て》つだいをしてくれるのなら、あなをかがってもいいわよ。食料庫《しょくりょうこ》で、ネズミをつかまえてくれないかしら。だけど、そこでミルクを飲《の》んだり、マザネツ*のパンや、子牛《こうし》の肉料理《にくりょうり》を食《た》べたりしないでね！」

こいぬとこねこは、ネズミをとることと、つまみ食《ぐ》いをしないことを、やくそくしました。仕立屋《したてや》さんは、ふたりを食料庫《しょくりょうこ》にあんないしました。ネズミたちは、こいぬとこねこにおどろいて、すぐに、あなにひっこんでしまいました。

「わたしがネズミたちを、おびきよせるわ。」こねこが、こいぬにささやきました。「こいぬくんは、まんなかに立《た》って、そこで『おどって、おどって、まわって、まわって』の歌《うた》をうたって、おどってちょうだい。あとは、わたしにまかせて。」

するとこいぬは、食料庫《しょくりょうこ》のまんなかに立《た》って、歌《うた》をうたいながら、クルクルとまわりはじめました。

「あははは。ああ、おかしい！　こいぬくんが、やぶけたズボンで、クルクルまわってる！」こねこは、ネズミたちをさそうようにいいました。

ネズミたちは、こいぬを見《み》たくてたまらなくなり、思《おも》わずかくれていたあなから出《で》てきました。こいぬが、やぶけたズボンでおどっているのを見《み》ると、

おなかをかかえて、わらいました。こねこは、そのすきにネズミを一《いっ》ぴきのこらず、つかまえてしまったのです。

「ふたりとも、ありがとう。ほんとうによくやってくれたわ。」仕立屋《したてや》さんは、ふたりをほめて、こいぬのズボンのあなを、かがってくれました。

「やくそくを守《まも》ってくれたので、ごほうびをあげましょう。」

こいぬとこねこは、カップ一《いっ》ぱいのミルクと、マザネツをもらいました。

そして、うれしそうにうちに帰《かえ》っていきました。

＊復活祭《ふっかつさい》……イエス・キリストの復活《ふっかつ》を祝《いわ》う日《ひ》。イースターともいう。

＊マザネツ……復活祭《ふっかつさい》に食《た》べる甘《あま》いパン。

こいぬとこねこが十月二十八日《じゅうがつにじゅうはちにち》をおいわいした話《はなし》

こいぬとこねこは、うちでいっしょにすわって、おしゃべりをしていました。

「ねえ、こねこさん。もうすぐ十月二十八日《じゅうがつにじゅうはちにち》のおいわいの日《ひ》*だね。今年《ことし》は、とくべつおめでたいらしいよ。よそのうちは、おもてに旗《はた》をかざるのに、うちには旗《はた》がひとつもなくて、なんだかさびしいなあ。」と、こいぬがいいました。

「旗《はた》っていいわよねえ。」こねこも、いいました。

すると、こいぬは、「風《かぜ》がふいて、旗《はた》がパタパタパタパタってはためくのを見《み》ていると、おもしろいよね。見《み》あげると、空《そら》が旗《はた》でいっぱいになってってさ。」と、いいました。

こねこは、「屋根《やね》にのぼって見《み》る景色《けしき》は最高《さいこう》なんだから。旗《はた》が出《で》ているときに、屋根《やね》の上《うえ》をさんぽするのって楽《たの》しいし、体《からだ》にもいいのよ。下《した》を見《み》ると、たくさんの旗《はた》で国中《くにじゅう》がうめつくされているみたい。」と、いいました。

「みんなは、こねこさんのように、屋根《やね》の上《うえ》をさんぽできないと思《おも》うよ。ぼくだって、落《お》っこちたらこわいから、屋根《やね》なんかのぼれないや。でも十月《じゅうがつ》二十八日《にじゅうはちにち》のおいわいには、やっぱりきれいな旗《はた》をかざりたいなあ。」と、こいぬはいいました。

「ねえ、こいぬくん。ところで十月二十八日《じゅうがつにじゅうはちにち》って、何《なに》をおいわいする日《ひ》？」

「あれえ、こねこさん。どんなにおめでたい日《ひ》か、知《し》らないの？　それじゃ、小《ちい》さい子《こ》どもと同《おな》じだよ！　小《ちい》さい子《こ》だって、おいわいの日《ひ》に旗《はた》がパタパタしていたら、ねえ、なんでなの？　って聞《き》くよ。」こいぬは、こねこをわらっていいました。

「だけど、小《ちい》さい子《こ》は、お父《とう》さんやお母《かあ》さんに教《おそ》わるからいいじゃない。わたしは、だれに教《おそ》わるの？」と、こねこはいいました。

「ほんとうのことをいうと、ぼくもよく知《し》らないんだ。子《こ》どもたちが親《おや》に教《おそ》わったら、聞《き》いてみようよ。むかしは今《いま》より、ひどい世《よ》の中《なか》だった、ってことは知《し》っているさ。大《おお》きなせんそうがあって、食《た》べるものにもこまったそうだ。みんながとても悲《かな》しくて不幸《ふこう》だったのは、悪《わる》い皇帝《こうてい》がいたからで、今《いま》はそのときの千倍《せんばい》もよくなったのさ。なぜなら、せんそうもないし、食《た》べるものも、じゅうぶんにあるからね。それは、マサリク*という人《ひと》が、大統領《だいとうりょう》になったからなんだよ。何年《なんねん》も前《まえ》の十月二十八日《じゅうがつにじゅうはちにち》に、みんなが、せんそうと皇帝《こうてい》にがまんできなくなって、それまでの古《ふる》い国《くに》をおわらせたんだ。せんそうをやめて、皇帝《こうてい》を追《お》いだしたのさ。そのときから、世《よ》の中《なか》がよくなった。そのことを思《おも》いだそうと、いつも十月二十八日《じゅうがつにじゅうはちにち》のおいわいの日《ひ》には、たくさんの旗《はた》をかざるし、みんなはとびきりうれしそうなんだ。」

「みんなが幸《しあわ》せで、にこにこしているのって、いいわあ。楽《たの》しそうな人《ひと》を見《み》ると、わたしも元気《げんき》にあそびたくなっちゃうもの。」

「ぼくも、おんなじだよ。きげんがいい人《ひと》は、見《み》ていてわかるからね。きげんが悪《わる》い人《ひと》からは、百歩《ひゃっぽ》ぐらい、はなれておいたほうがいいと思《おも》う。楽《たの》しそうで、まんぞくしている人《ひと》は、ほかの人《ひと》にも、動物《どうぶつ》にもやさしいんだ。」

「十月二十八日《じゅうがつにじゅうはちにち》には、みんながやさしく楽《たの》しそうになるんだったら、わたしたちもたくさん旗《はた》を出《だ》して、おいわいをもりあげなきゃね。旗《はた》は二《ふた》つでも三《みっ》つでも、たくさんあればあるほどいいわ。」そういうと、こねこはちょっと、考《かんが》えました。「でも、かんじんの旗《はた》がないのに、どうやってかざるの?」

「ぼくも、考《かんが》えていたんだよ。ねえ、聞《き》いて。あそこの通《とお》りに、お店《みせ》があるでしょ。お父《とう》さんやお母《かあ》さんが、子《こ》どもをつれてお店《みせ》で何《なに》か買《か》うと、小《ちい》さい旗《はた》を子《こ》どもにくれるんだって。それで、いいことを思《おも》いついたんだ。ぼくが、こねこさんを、おくるみにつつむから、赤《あか》ちゃんのふりをしてね。ぼくが、こねこさんをだっこしてお店《みせ》に買《か》いものに行《い》くと、お店《みせ》の人《ひと》は、小《ちい》さな旗《はた》をくれる、というわけさ。しかも、ただで! お金《かね》はためておいたのがあるから、だいじょうぶ。」

「すぐにでもやりましょうよ。」と、こねこがよろこんでいいました。

そして、ふたりはほんとうにやってみたのです。こいぬは、こねこをおくるみにつつんで、赤《あか》ちゃんのようにだっこして、お店《みせ》に行《い》きました。そこでカーテンを買《か》って、お金《かね》をはらいました。お店《みせ》の人《ひと》は、小《ちい》さな旗《はた》をひとつくれました。

赤《あか》ちゃんになったこねこは、小《ちい》さな旗《はた》を手《て》に持《も》ってふりながら、赤《あか》ちゃんことばをしゃべりました。

「ニャニャニャ、ニョニョニョ。」

こいぬは、そのまま、こねこをだっこして、うちに帰《かえ》りました。

うちにつくと、こいぬは、こねこをおくるみから出《だ》しました。

こねこは、「ほら、わたし、きれいな旗《はた》を、もらっちゃった！　しかも、ただなの！」と、じまんしました。

「いいなあ。ぼくも旗《はた》がほしいよ！　今度《こんど》は、こねこさんがぼくを、おくるみにつつんで。ぼく、赤《あか》ちゃんのふりをするから、お店《みせ》に買《か》いものにつれて行《い》ってよ。そしたら、また小《ちい》さな旗《はた》をもらえるでしょ。」

そして、ふたりは、ふたたびやってみたのです。こねこは、こいぬをおくるみにつつんで、赤《あか》ちゃんのように、しっかりだっこして、お店《みせ》に行《い》きました。そこで、じゅうたんを買《か》い、小《ちい》さな旗《はた》をひとつもらいました。旗《はた》をもらったこいぬは、やっぱり赤《あか》ちゃんことばをしゃべりました。

「バブバブ、ブーブー。」そして、うれしそうに旗《はた》をふりながらうちに帰《かえ》りました。

「ほ～ら、ぼくだってすてきな旗《はた》を、もらったよ。しかも、ただでね！」

するとこねこがいいました。「ただなら、もっとたくさん集《あつ》めましょうよ。どこよりも多《おお》くの旗《はた》を集《あつ》めるの。わたしがまた赤《あか》ちゃんになるから、こいぬくんが、お店《みせ》につれて行《い》って。そうしたら、わたしが旗《はた》をもらえるわ。それから、またこいぬくんが、赤《あか》ちゃんになって、わたしが買《か》いものに行《い》くの。かわりばんこにやったら、旗《はた》がいっぱい集《あつ》まるでしょう。買《か》いものをするお金《かね》なら、まだじゅうぶんあるから。」

というわけで、こねこが赤《あか》ちゃんになったら、今度《こんど》はこいぬが赤《あか》ちゃんになるというぐあいに、何度《なんど》も買《か》いものに出《で》かけました。こいぬとこねこは、とうとうお金《かね》がなくなるまで、一日中《いちにちじゅう》くりかえしたのです。小《ちい》さな旗《はた》だけでなく、風船《ふうせん》もおまけにもらいました。

「ただで旗《はた》と風船《ふうせん》をたくさんもらって、とっても、おとくだったね。」

こいぬとこねこは、うれしくなって、さっそく旗《はた》と風船《ふうせん》のかざりつけをはじめました。こねこは、旗《はた》を屋根《やね》の上《うえ》に立《た》て、こいぬは、窓《まど》のところにかざりました。こいぬは、屋根《やね》の上《うえ》にのぼるのがこわかったからです。旗《はた》も風船《ふうせん》も、山《やま》ほどもらったので、家《いえ》のあちこちを、かざることができました。

いよいよ十月二十八日《じゅうがつにじゅうはちにち》になりました。すると、家《いえ》の前《まえ》を通《とお》りかかった人《ひと》たちは、みんなこいぬとこねこの家《いえ》のかざりつけを、気《き》に入《い》ってくれました。

「このうちは、かわいいねえ。なんだか楽《たの》しそうだ。おいわいのかざりつけを、じょうずにしたもんだねえ。」人《ひと》びとはみんな、感心《かんしん》していいました。

こいぬとこねこはいいました。「きょうは、みんなが、こんなににこにこして、まんぞくそうな顔《かお》をしているんだから、ぼくらだって、思《おも》いきりおいわいしなくちゃね!」

そのときちょうど、兵隊《へいたい》さんがやってきて、すてきなえんそうをはじめました。

「やったね、十月二十八日《じゅうがつにじゅうはちにち》！　ばんざ〜い！」こいぬとこねこがいうと、こどもたちもみんな集《あつ》まってきました。そして、こいぬとこねこといっしょになって、それはそれは楽《たの》しそうに声《こえ》をはりあげました。

「ばんざ〜い！　やったね！　やったね！」

＊十月《がつ》二十八日《にち》のおいわいの日《ひ》……一九一八年《ねん》十月《がつ》二十八日《にち》は、チェコスロバキア共《きょう》和《わ》国《こく》独立《どくりつ》宣言《せんげん》の日《ひ》。のちに独立《どくりつ》記念《きねん》日《び》となる。チェコとスロバキアは、一九九二年《ねん》、二つの国に分かれた。

＊マサリク……チェコスロバキア共和国初代大統領《きょうわこくしょだいだいとうりょう》、トマーシュ・マサリク（一八五〇―一九三七）。

クリスマスにチャペックさんを助《たす》けた話《はなし》

「ねえ、わたし、いいことを聞《き》いたの。」と、こねこがこいぬにいいました。

「いいことってなあに。」こいぬが、ききました。

「作家《さっか》のチャペックさんが、クリスマスに、こいぬとこねこのお話《はなし》をまた書《か》くんですって。」

「いいね。」こいぬは、うれしそうです。「でも、ぼくのことを、ちゃんと書《か》いてくれるかかな。」

「そう、それがねえ。チャペックさんは、つくえの前《まえ》でずっと考《かんが》えこんで

いて、お話《はなし》がなんにもうかばないらしいの。」

「それはこまったね。ぼくたちのことを、すてきに書《か》いてくれるといいなあ。」

「ほんとに、そうよね。だから、お話作《はなしづく》りのお手《て》つだいをしましょうよ。こんなお話《はなし》どうですか、って。チャペックさんはともかく、子《こ》どもたちがどんなお話《はなし》を読《よ》むことになるのか、しんぱいだわ。」

「そうだね。子《こ》どもたちは、クリスマスに、こいぬとこねこの、へんてこりんなお話《はなし》を聞《き》かされるなんて、夢《ゆめ》にも思《おも》わないだろうからね。チャペックさんのところへ行《い》って、お手《て》つだいをしてこよう!」と、こいぬがいいました。

「そうしましょう。でも、お手《て》つだいをしたら、何《なに》かお礼《れい》をいただかなくっちゃ。クリスマスなのに、うちにはクリスマスのパン、ヴァーノチカ*の一《ひと》切《き》れもないんだから。」

こいぬとこねこは、お話作《はなしづく》りにこまっているチャペックさんのところへ、お手《て》つだいに行《い》くことにしました。

歩《ある》いていると、こいぬが声《こえ》をあげました。

「あっ、思《おも》いついた！　チャペックさんに書《か》いてもらうお話《はなし》。ねえ、こういうのはどう？　こねこさんが、まほうにかけられたおひめさまで、ぼくが、まほうにかけられた王子《おうじ》さまで登場《とうじょう》するの。」

「こいぬくんが、まほうにかけられた王子《おうじ》さま？　こいぬくんには、ノミがいるじゃない。だれも、王子《おうじ》さまだなんて、信《しん》じてくれないわよ。王子《おうじ》さまには、ノミなんてつかないし、ノミがつくのは、いぬだからでしょう。」

こねこは、わらっていいました。

「こねこさんだって、まほうにかけられたおひめさまなんかじゃないよ。さっき、後《うし》ろ足《あし》で体《からだ》をポリポリかいているの、ぼく見《み》ちゃったんだから。」

と、こいぬがいいました。

「ちょっとかゆかっただけよ！　じゃあ、チャペックさんには、こんなふうに話《はなし》をしようかしら。わたしは、まほうにかけられたおひめさまで、ノミたちは、まほうにかけられためしつかいなんです、ってね。」

今度《こんど》は、こいぬが、じまんそうにいいました。

「じゃあ、ぼくはこういうよ。ぼくのノミたちは、ゆうかんな騎士《きし》で、ぼくは騎士団《きしだん》をしたがえています、ってね。」

「こいぬくん、もうこの話《はなし》はよしましょうよ。チャペックさんは、わたしたちの話《はなし》を信《しん》じてくれるかもしれないけど、子《こ》どもたちはきっと信《しん》じないわ。チャペックさんが書《か》いたものが、おかしいと思《おも》うでしょう。それより、子《こ》どもたちが、わたしたちとあそぶときのお話《はなし》はどうかしら？　わたしたち、よくしっぽとか耳《みみ》とかをひっぱられて、とってもいたいでしょ。チャペックさんが、わたしたちの気持《きも》ちをお話《はなし》に書《か》いてくれたら、どんなにうれしいか。」

と、こねこがいいました。

「うん、そうだね。ぼく、子《こ》どもたちにいたずらされたとき、にげだしちゃったもん。」

こうして、こいぬとこねこは、おしゃべりをしながら歩《ある》いていくと、チャペックさんのうちに着《つ》きました。

チャペックさんは、つくえのむこうで、ペンをにぎったまま、何《なに》を書《か》いていいのやら、これっぽっちも思《おも》いうかばないようすでした。

「もうすぐクリスマスだというのに、こまったぞ。子《こ》どもたちのために、こいぬとこねこの話《はなし》を書《か》きたいんだが、なんにも思《おも》いうかばない。だれかがやって来《き》て、こんなお話《はなし》どうですか、といってくれたら、助《たす》かるんだけどなあ。」とチャペックさんは、つぶやいていました。

そのときです。ドアをトントン、とたたく音《おと》がして、こいぬとこねこが部《へ》屋《や》に入《はい》ってきました。

「チャペックさん、こんにちは。ぼくたち、お話作《はなしづく》りのお手《て》つだいに来《き》ました。」

「いやあ、いいところに来《き》てくれた。ありがとう。ちょうど、こまっていたんだよ。じつは、編集局《へんしゅうきょく》という国《くに》があってね、そこのクリーマという悪《わる》い巨人《きょじん》に、わたしはおどされているんだ。その巨人《きょじん》は、編集局《へんしゅうきょく》の、九《ここの》つの扉《とびら》をすべて支配《しはい》している。そいつが、子《こ》どものためのクリスマスのお話《はなし》を、さあ早《はや》く書《か》け！　と、わたしに命令《めいれい》したんだよ。ところが、なんにも思《おも》いうかばないから、こうして頭《あたま》をかかえている、ってわけだ。もう七《なな》つの昼《ひる》と、七《なな》つの夜《よる》を数《かぞ》えたというのに、まだ何《なに》もひらめかない。巨人《きょじん》のクリーマは、わたしにひどく恐《おそ》ろしい声《こえ》でいった。「さあ、書《か》くんだ。さもないと、まほうでおまえをチーズにかえて、この世《よ》のおわりまで、タイプライターの前《まえ》にすわらせるぞ。チーズになってそこで考《かんが》えるがいい。ばつとしておまえは、入場料《にゅうじょうりょう》たったの五十《ごじゅう》ハレージュ*の見《み》せものになるのだ」とね。こいぬくんとこねこさん、ありがとう。チーズになる運命《うんめい》から、よくぞ、わたしをすくってくれた。お礼《れい》に、何《なに》かほしいものをあげよう。」

たったの
50
ハルージュ

するとこねこがいいました。「チャペックさん、クリスマスって、物《もの》のねだんが上《あ》がるでしょう。でも、わたしたちのお手《て》つだいは、お安《やす》くしておきます。お話《はなし》をこう書《か》いたらどうかしら。ええっと、ねこには、しっぽがある。」

「そんなことは知《し》ってるよ。しっぽで、何《なに》ができるんだい？」と、チャペックさんはいいました。

「まあ、知《し》らないんですね。しっぽは、いろんな使《つか》い方《かた》ができるんですよ。まず、ねこにとってしっぽは、一番大《いちばんおお》きなかざりなんです。もしも、ねこのしっぽが、馬《うま》や牛《うし》のしっぽみたいで、馬《うま》や牛《うし》のしっぽが、ねこのしっぽみたいだったら、へんでしょう？　でも、ふしぎなことに、この世界《せかい》はなんでもきちんと決《き》まっているんです。ねこには、ちゃんとねこのためのしっぽがついているでしょう？　だからねこは、とってもしっぽを大切《たいせつ》にしていて、すごくじまんなんです。わたしたちは、すわるときや、ねるとき、しっぽを自《じ》分《ぶん》の体《からだ》にぐるっとまきつけます。歩《ある》くときは、しっぽを高《たか》く持《も》ちあげるから、みんなは「なんて、しっぽがおにあいなんだろうねえ」と、ほめてくれるんです。おこるときは、しっぽをブンブンふりまわして、みんなをびっくりさせます。これ、わたしたちねこは、ぜんぶ自《じ》分《ぶん》のしっぽでやるんですよ。」

と、こねこは、とくいそうにいいました。

「それは知《し》ってるよ。だれも、ねこのしっぽをとったりしないさ。少《すく》なくとも新聞《しんぶん》では、そんな話《はなし》は読《よ》んだことがないね。わたしは毎日《まいにち》、新聞《しんぶん》を読《よ》んでいるがね。」と、チャペックさんはいいました。

「まあ、だれも、ねこのしっぽをとらない、ですって？　小《ちい》さな子《こ》どもた

ちは、しっぽをつかみますよ！　女《おんな》の子《こ》が、一度《いちど》わたしとあそぼうとして、しっぽをにぎったんです。そのにぎり方《かた》ときたら！　しっぽを、まるでホットケーキをやくフライパンの取《と》っ手《て》みたいに！　どんなにこわくて、いたかったか、もう聞《き》かないでください！　しっぽをひっぱられて、ちぎれるかと思《おも》いました。わたしは、はじめはしくしくないて、それからウ～ッとうなって、シャーッといったんです。どうしていいかわからず、女《おんな》の子《こ》をちょっとだけひっかいたら、ものすごいさけび声《ごえ》をあげたんです！　チャペックさん、そのクリスマスの新聞《しんぶん》には、ぜひこう書《か》いてください。子《こ》どもたちへ、ねこのしっぽをひっぱらないこと。さもないと、ねこは子《こ》どもたちとは、もうあそべませんってね。」こねこが、いいました。

するとこ、今度《こんど》はこいぬが、つづけました。

「ぼくたち動物《どうぶつ》は、ときどき子《こ》どもに、こまることがあるんです。いぬは、耳《みみ》をひっぱられるでしょう。そりゃもう、いたいのなんのって。いぬの耳《みみ》って、いつも聞《き》き耳《みみ》をたてていて、ちょっとでも音《おと》がすると、あっ、どろぼうかなとか、山《さん》ぞくかなって思《おも》うぐらい、びんかんなんです。じゃあ、男《おとこ》の子《こ》が来《く》るとします。その子《こ》の耳《みみ》なんて、あらってないからきたないんですけど、ぼくの耳《みみ》をひっぱって、ぞうきんのようにひきずるんです。おまけに足《あし》もふまれて、キャン！とぼく、ないたんですよ。ぼくは、骨《ほね》のずいまでいいやつなんですが(そういうぼくは、骨《ほね》よりも、やわらかいとり肉《にく》とか子牛肉《こうしにく》が好《す》きなんですけどね)、もうおもしろくもなんともなくて、おこってやりました！「あっちへ行《い》け、さもないとかむぞ！」すると、男《おとこ》の子《こ》はなきながら走《はし》って行《い》って、「え〜ん、いぬにいじわるされた〜」といいつけるんです。

チャペックさん、このこともクリスマスの新聞《しんぶん》に書《か》いてくださいよ！　子《こ》どもたちへ、いぬの耳《みみ》をひっぱったり、足《あし》をふんだりしないこと、ってね。」

「それから、ねこの足《あし》をふんだり、耳《みみ》をひっぱったりしないこと、と書《か》くのもわすれないでくださいね。わたしたちだって、いたいのよ。」と、こねこもつけたしました。

「それから、いぬのしっぽもひっぱらないでほしいなあ。いぬだっていやなんです。じゃあ、これをぜんぶ書《か》いてくださいね。ねえ、お話作《はなしづく》りのお手《て》つだいをしたので、何《なに》かお礼《れい》をいただけますか？」と、こいぬはいいました。

するとチャペックさんは、お話《はなし》を教《おし》えてくれたお礼《れい》に、こいぬとこねこに、クリスマスのヴァーノチカを一切《ひとき》れくれました。それから、魚《さかな》のうきぶくろも出《だ》してきました。オレンジや、ほしたイチジクや、ナツメヤシの実《み》がにがてなこいぬには、立派《りっぱ》なサラミの切《き》れはしや、チーズを三個《さんこ》、そして、角砂《かくざ》糖《とう》を何個《なんこ》かくれました。

「ぼくたちのお手《て》つだい、お安《やす》かったでしょう？　ちょうどこういうものが、ほしいなあって、ぼくたちも思《おも》っていたんです。ありがとうございました。では、楽《たの》しいクリスマスを！　新聞《しんぶん》には、ぼくたちが話《はな》したことを、ぜんぶ書《か》いてくださいね！」と、こいぬとこねこはいって、うれしそうに帰《かえ》っていきました。チャペックさんは、つくえにもどると何《なに》やら書《か》きはじめ、ついに、こいぬとこねこが話《はな》したことを、ぜんぶ書《か》きおえました。

さあ、チャペックさんは、こいぬとこねこが話《はな》したことを、うまく書《か》けたでしょうか。どこかちょっとだけ、ちがっていませんでしたか。

子《こ》どもたちが、いいました。「ぼくたちは、こいぬとこねこが話《はな》したことを、ぜんぶ知《し》ってるよ！　もし、ちゃんと書《か》けていなかったら、チャペックさんは、チーズにされちゃうんでしょう。ぼくたちは、それを、たったの五《ご》十《じゅう》ハレージュで見学《けんがく》できるんだって。」

ねえ、みなさんも、チャペックさんが、こいぬとこねこに助《たす》けてもらったお話《はなし》を、知《し》っていますよね。正《ただ》しく書《か》けていたかどうか、もう一度《いちど》読《よ》んで、さっそくたしかめないといけませんね。

＊ヴァーノチカ……クリスマスに食《た》べる、干《ほ》しブドウの入《はい》った、甘《あま》い編《あ》みこみパン。
＊ハレージュ……通貨《つうか》、コルナの下《した》の単位《たんい》。百ハレージュは一コルナ。

ニンブルクの女《おんな》の子《こ》たちに手紙《てがみ》を書《か》いた話《はなし》

寒《さむ》さがきびしい一月《いちがつ》ごろのことでした。こいぬとこねこは、それぞれのベッドに入《はい》ったまま、冬《ふゆ》の寒《さむ》さや楽《たの》しみについて、あれこれとおしゃべりをしていました。

「ああ、なんだか、このあったかいベッドから出《で》るのがいやになっちゃった。ぼく、冬《ふゆ》が好《す》きだなあ。きょうみたいに雪《ゆき》がつもっているときが、一番《いちばん》きれいだよね。でも、うんと寒《さむ》いのは、にがてだよ。ゆびのあいだに冷《つめ》たい雪《ゆき》がはさまったり、足《あし》のうらに雪《ゆき》がつくのはいやだと思《おも》わない？　とっても

冷《つめ》たいんだもん。」と、こいぬはいいました。

「そうそう。ほんとうに、いやよね。でも今《いま》は、足《あし》がホカホカにあったかくて、けむりが出《で》そうなくらいよ。寒《さむ》いときは、ベッドの中《なか》が、ぬくぬくと気持《きも》ちよくて、おきるのがいやになっちゃうわ。」と、こねこがいいました。

「いいこと思《おも》いついた！　きょうは、一日中《いちにちじゅう》ベッドで、何《なに》かしてあそぼうよ。」と、こいぬがいいました。

「だめよ。わたしたち、びょうきでもないのに、一日中《いちにちじゅう》ベッドから出《で》ないなんて！　ニンブルクの女《おんな》の子《こ》たちからもらった手紙《てがみ》に、まだおへんじを出《だ》していなかったでしょう。こいぬとこねこは、れいぎを知《し》らないなあ、とか、しつけられてないなあ、っていわれちゃうわよ。ほら、おきて！　女《おんな》の子《こ》たちに、手紙《てがみ》のへんじを書《か》きましょう。きょうは、ほかにすることがないんだから。」と、こねこがいいました。

「うん、そうだね。ぼくたちが、きちんとしていること、子《こ》どもたちにも、わかってもらわなくちゃ。すてきなお手紙《てがみ》を書《か》こう。でも、字《じ》を書《か》くのは、こねこさんだよ。だって、ぼくの手《て》は、字《じ》を書《か》くのにむいてないでしょ。じゃあ、何《なに》を書《か》くか、ぼくがいうからね。」と、こいぬはいいました。

「もちろん、書《か》くのはわたしよ。」こねこは、じまんそうにいいました。

「ほら、子《こ》どもたちが字《じ》を書《か》いていて、うまくいかないときに「ねこが、つめでひっかいたほうが、この字《じ》よりよっぽどうまいね」って、人間《にんげん》のおとなは、いうじゃない。だから、ねこって、たいていの子《こ》どもよりも、字《じ》がきれいなのよ。」

「へえ。こねこさんは、字《じ》を書《か》くのがそんなにじょうずなんだ。ぼく知《し》らなかったよ！」こいぬはおどろいて、さらにつづけました。「ニンブルクの女《おんな》の子《こ》たちの手紙《てがみ》は、どれもよく書《か》けていたね。ねこが書《か》いたみたいにじょうずで、みんな、はなまるだ。名前《なまえ》はわすれちゃったけど、本《ほん》の字《じ》みたいにきれいな字《じ》を書《か》く子《こ》が、ひとりいたよ。」

「わたしが書《か》けるのは、ひらがなとカタカナだけよ。だって、学校《がっこう》に行《い》っていないから、漢字《かんじ》は、知《し》らないの。でもね、世界《せかい》で一番字《いちばんじ》がうまいねこに、わたし負《ま》けないぐらいじょうずなの。もし、字《じ》をまちがえたら、こまるけどね。」こねこは、えんりょがちにいいました。

すると、こいぬは、「字《じ》のまちがいは、ゆるしてもらおうよ。子《こ》どもたちだって、もし、ねこのようにニャーニャーなきなさいとか、いぬのようにワンワンほえなさい、といわれたら、きっと、いっぱいまちがえると思《おも》うよ。」

と、いいました。

「そうね。子《こ》どもたちが、ニャーニャーなきまねをしても、いつもうまくできないの。あのね、ねこのなき方《かた》っていうのはね、うつくしく、やわらかく、とってもかぼそい声《こえ》を出《だ》さなきゃいけないの。でも、ニャーと、ミャーはにていても、音《おと》がちがうから、正《ただ》しくいわないといけないのよ。」と、こねこはいいました。

「いぬのほえ方《かた》だって、そうさ。子《こ》どもたちがワン！　とまねすることがあるけど、何《なに》かちがうんだ。正《ただ》しくワン！　とほえるのって、むずかしくって、はじめにウウ～ッと、むねからうなり声《ごえ》を出《だ》すでしょ。それから、てっぽうをうつときのように、すばやく、ゆうかんに、ワン！　とほえる。そのとき、頭《あたま》と、うなじと後《うし》ろ足《あし》をビクッ、と短《みじか》くうごかすんだ。」と、こいぬもいいました。

「ねこがなくときはね、まず目《め》をまんまるくして、頭《あたま》はちょっと、かたむけるの。そして、少《すこ》しのびをして、せすじをピンとのばすのよ。子《こ》どもたちが、ねこのなき方《かた》を、きちんとおぼえるには、学校《がっこう》へ行《い》って、先生《せんせい》に長《なが》い時間《じかん》教《おそ》わらないと、むずかしいと思《おも》うわ。でも、わたしたちねこは、生《う》まれてすぐに、できちゃうの。」

「ねこのなき方《かた》を、まねできない、なんていうけど、ぼくがやってみるから。ウルル、ニャフ。フニャウフ。ニャフ、ニャフ、ニャフ。」こいぬは、とくいそうな顔《かお》をしています。

「ぜ〜んぜん、ねこのなき声《ごえ》に、きこえないわ。」こねこが、わらいました。

「じゃあ、今度《こんど》は、こねこさんが、いぬのようにワン！とほえてごらんよ。」と、こいぬがいいました。

「いいわ。ミャーン、ニャンニャン。」こねこは、いぬのつもりでほえました。

「ははは。ねこのなき声《ごえ》にしか、きこえないよ。」こいぬは、わらいました。

「ひとりひとり、何《なに》か、とくいなものはあるってことね。じゃあ、今度《こんど》こそ手紙《てがみ》を書《か》きましょう。字《じ》をまちがえたとしても、わたしたちは学校《がっこう》で教《おそ》わっていないから、しかたがないわ。子《こ》どもたちが、黒板《こくばん》に、正《ただ》しい文章《ぶんしょう》を書《か》いてくれるといいわね。」と、こねこがいいました。

「じゃあ、ぼくが話《はな》すから、書《か》いてよ。」と、こいぬはいいました。

こねこは、すわると、こいぬがいうとおりに、ニンブルクの女《おんな》の子《こ》あての手紙《てがみ》を、書《か》きはじめました。

ミソブルタのおなのこのみなさんへ

おてがみ、とおもありがとございました。
ぼくたちわ、けぬきです。みなさんも、おけぬきで。
かしこ
こねこ　と　こいね

こいぬが、さいごに自分《じぶん》で名前《なまえ》を書《か》いたのを見《み》て、こねこはいいました。

「こいぬくんの名前《なまえ》は、まちがっているような気《き》がするわ。こいぬくんが書《か》いたのは、こねこのね、でしょう。にてるけど、こいぬのぬ、の字《じ》が正《ただ》し

ミソブルタの
おなのこの
みなさんへ

おてがみ、とおも
ありがとございました。
ぼくたちわ、けぬき
です。みなさんも
おけぬきで。
かしこ　こねこと
こいぬ

いと思《おも》うの。」

「あっ、そうか。じゃあ、けせないから、上《うえ》からばってんをして、わきに正《ただ》しい名前《なまえ》を書《か》くよ。どれが正《ただ》しいの？　こ、の字《じ》はあってるね？　い、は？　あってるね。ね、の字《じ》がちがうんだね？　じゃあ正《ただ》しいぬ、の字《じ》を書《か》くよ。こ、い、ぬ。」

「手紙《てがみ》を書《か》くのってむずかしいわね。ていねいに「お」をつけたり、にている字《じ》をまちがえないように書《か》いたり。ふだん使《つか》わない「かしこ」っていうことばを、手紙《てがみ》のさいごにつけなきゃならないし。」と、こねこがいいました。

「ぼく、名前《なまえ》を直《なお》せてよかった。こねこさんのおかげだ。手紙《てがみ》は、これでいうことないね。さっそく、郵便局《ゆうびんきょく》へ手紙《てがみ》を出《だ》しに行《い》こう。」と、こいぬはいいました。

「たくさん服《ふく》を着《き》て、あたたかくして出《で》かけましょう。外《そと》はとっても寒《さむ》いのよ。」こねこはいいました。

いったい、どれだけ、たくさん着《き》こんだのでしょう。ふたりは、タイツにセーター、冬《ふゆ》のコート、毛糸《けいと》のマフラー、雪用《ゆきよう》のブーツをはいて、ぼうしもかぶりました。

そのとき、こいぬが、鼻《はな》をヒクヒクさせながら、こねこにいいました。

「あそこの、とだなにしまってあるチーズ、とってもいいにおいだね。ぼく、チーズをすっごく食《た》べたくなっちゃった。」

「今《いま》はだめ！　郵便局《ゆうびんきょく》から、ぜったいおなかをすかせて帰《かえ》ってくるんだから、今食《いまた》べちゃったら、あとでこまるわよ。」

「でも、すごくいいにおいがするし、どうしても食《た》べたいよ。」

「だ〜め！　郵便局《ゆうびんきょく》から、帰《かえ》ってきたらね。」こねこは、いいわたしました。

こいぬは、とてもなごりおしそうに、チーズのほうを見《み》ながら外《そと》に出《で》て、ドアをしめると、こねこと郵便局《ゆうびんきょく》にむかいました。

寒《さむ》さがきびしくなって、この日《ひ》もちょうど、雪《ゆき》がどんどんはげしくふってきました。雪《ゆき》をよろこんだのは、スキーやソリですべる人《ひと》や、こおった池《いけ》や道《みち》で、ツーッとすべってあそぶ人《ひと》です。雪《ゆき》は、まるで、小麦粉《こむぎこ》の袋《ふくろ》がやぶけたときのように、じゃんじゃんふってきました。こいぬとこねこは、サクサク、ギュッギュッ、と雪《ゆき》をふみしめながら歩《ある》いて楽《たの》しそうです。

郵便局《ゆうびんきょく》につくと、こねこは、切手《きって》のうらを、こいぬにペロッとなめさせて手紙《てがみ》にはり、いっしょに切手《きって》の上《うえ》から手《て》でポンポンとおさえました。そして、ふたりは手紙《てがみ》をポストになげいれました。

「雪《ゆき》のふきだまりが、あちこちにできて、手紙《てがみ》を運《はこ》ぶ電車《でんしゃ》が走《はし》らないこともあるそうよ。春《はる》の復活祭《ふっかつさい》のおいわいまでに、ニンブルクの女《おんな》の子《こ》たちに、この手紙《てがみ》がとどくといいわね。」と、こねこがいいました。

ふたりが、うちへ帰《かえ》るとちゅう、雪《ゆき》は、千枚《せんまい》もの羽《はね》ぶとんから羽《はね》が舞《ま》いおちるようにふりました。

「雪《ゆき》が、よくふるなあ。道《みち》もかくれて見《み》えなくなっちゃったよ。」と、こいぬは、よろこびました。

どんどん歩《ある》いていくうちにも、雪《ゆき》はずんずんつもります。とうとう、こいぬとこねこの家《いえ》は、えんとつのてっぺんまで、すっぽり雪《ゆき》におおわれてしまいました。

家《いえ》はどこにあるのでしょう。どこにも、見《み》あたりません。どこを見《み》てもまっ白《しろ》です。雪《ゆき》のかたまりは、さらに大《おお》きくなり、雪《ゆき》また雪《ゆき》です。

「わたしたちのうちは、いったいどこなの。」こねこは、しんぱいになりました。ほんとうに、家《いえ》は見《み》あたりませんでした。

「ああ、うちがなくなっちゃった。わたしたち、行《い》くあてもないし、どうすればいいの。」こねこは、なきごとをいいました。

こいぬは、まわりをよく見《み》わたしました。でも、あたりは一面《いちめん》、雪野原《ゆきのはら》になっていたのです。

「まあ、しょうがないや。雪《ゆき》にすっぽりうずもれちゃって、うちがわからないんだもの。だけど、いったいだれをたよって、どこでねむればいいんだろう。外《そと》でねたら、ぼくたち、こごえちゃうよ。」

「ニンブルクに行《い》けば、手紙《てがみ》をくれた女《おんな》の子《こ》たちが、わたしたちのねるところを作《つく》ってくれるかしら。うちは見《み》つからないし、ニンブルクはとっても遠《とお》いし。ああ、うちの場所《ばしょ》さえわかればねえ。」

「あっ、ちょっとまって。ぼくも、うちは見《み》えないんだけど、何《なに》かにおいがするんだ。ほら、ぼくが、すっごく食《た》べたかったチーズのにおい。」と、こいぬがいいました。

「それよ！　こいぬくん、チーズがどこにあるのか、クンクンかいでいってちょうだい。チーズのありかは、うちのありかよ！」こねこは、よろこびました。

こいぬは、クンクン、クンクンと、においのするほうへたどっていって、一番《いちばん》においが強《つよ》いところで、深《ふか》くつもった雪《ゆき》を、どんどんほりはじめました。

すると、ついに屋根《やね》があらわれたのです。

こいぬは、よろこんで、「やった〜！　チーズのありかは、うちのありか。うちのありかは、チーズのありかだ！」と、いうと、すぐにドアをあけて、チーズのありかへと、いそぎました。

「ほらね、だからわたしがいったでしょ。チーズは、郵便局《ゆうびんきょく》から帰《かえ》ってくるまで、とっておきましょう、って。このチーズが、わたしたちのいのちを、すくってくれたのよ。」

こいぬとこねこは、なかよくチーズをわけました。こいぬは、大《おお》きめのを、こねこは、小《ちい》さめのを食《た》べました。

食《た》べながらふたりは、きょう一日《いちにち》をふりかえりました。チーズを食《た》べおわると、こいぬとこねこは、追《お》いかけっこや、かくれんぼをして楽《たの》しくあそび、それから兵隊《へいたい》さんごっこをはじめ「ラッタッタ、ラッタッタ、ニンブルクの女《おんな》の子《こ》たち、ばんざーい！」と、声《こえ》をあげました。

ふたりのねまきちゃんの話《はなし》

ある日《ひ》、こいぬはとんでもない目《め》にあいました。ねえ、みなさん、いったい何《なに》が起《お》きたと思《おも》いますか。こいぬが、こねこと野《の》原《はら》でピョンピョンはねたり、とんだり、たるのようにゴロゴロころがったり、でんぐり返《がえ》しをしてあそんでいたときのことです。こいぬは、落《お》ちていたガラスのかけらをふんで、けがをしてしまいました。いたくていたくて、足《あし》を地《じ》面《めん》につけることもできませんでした。

「だれかしら。こんなところにガラスをすてるなんて、ぜったいだめよ。

かならず、かたづけないと、あぶないわ。動物《どうぶつ》や、子《こ》どもたちがはだしでふんだら、けがをして血《ち》が出《で》ちゃう。さあ、こっちにいらっしゃい、かわいそうなこいぬくん。おお、よしよし。わたしの大切《たいせつ》な、かわいい、大好《だいす》きなこいぬくん。うちへ帰《かえ》って、けがしたところに、ほうたいをまいてあげましょう。「いたいのいたいの、とんでけ〜」ってしたら、いたくなくなるわ。」

うちで、こねこが、こいぬの足《あし》に、ほうたいをまいているときのことでした。

「いたいところが、たんぽぽにならないかな。」と、こいぬがつぶやきました。

「えっ？」こねこは、ふしぎそうな顔《かお》をしました。

「たんぽぽにならないかなって。ほら、いたいところって、ぷっくりはれることがあるでしょう。まわりが赤《あか》くなっちゃうやつ。あとで、すごくいたくなるんだよ。」

「ああ、たんこぶのことね！」こねこは、やっとわかりました。

「ちがうよ、たんぽぽ。たんこぶは、森《もり》の近《ちか》くにはえているやつ。つんできて、花《か》びんにいれたりするでしょ。」と、こいぬはいいました。

「ちがうったら。かんちがいしてるのね。花《か》びんに入《い》れるのが、たんぽぽで、たんこぶじゃないのよ！　あはは。花《か》びんに、たんこぶを入《い》れるなんて、おかしいわ。」

「こねこさんのほうが、まちがってるよ！　けがをしてできるのが、たんぽぽ。森《もり》の近《ちか》くにはえているのがたんこぶ。そうなんだから！」

「じゃあ、好《す》きにすれば！　この話《はなし》を子《こ》どもたちにしたら、きっとみんな

に、わらわれるから。」と、こねこはいって、こいぬくんをクッションの上《うえ》にねかせました。

こいぬは、足《あし》にほうたいをまいてもらうと、クッションにすわって、あっちをむいたり、こっちをむいたりしながら、たんぽぽがいつできるのかなあ、と待《ま》っていました。走《はし》ることもできなかったので、時間《じかん》がたつのが、それはそれは、おそくかんじました。

「ねえ、ねえ、何《なに》しようかな？　もう、ぼく、あきちゃった。こねこさん、おねがいだから、何《なに》かお話《はなし》してよ。」と、こいぬがせがむと、「どんなお話《はなし》がいい？」と、こねこはききました。

「何《なに》か、おとぎ話《ばなし》とかさ。」

「どんな？」

「なんか、おもしろいお話《はなし》をしてよ。」こいぬが、せがみました。

「じゃあ、ねまきちゃんのお話《はなし》は?」と、こねこがききました。

「うん、それがいい。だけど、めでたしめでたしで、おわるようにしてね。」と、こいぬはいいました。

「じゃあ、『ふたりのねまきちゃん』のお話《はなし》ね。」こねこは、話《はな》しはじめました。

「あるところに、まずしいねまきちゃんがいました。まずしかったので、着《き》ているねまきは、まっ白《しろ》でした。赤《あか》や青《あお》や黄色《きいろ》や緑《みどり》や紫《むらさき》のはなやかなもようや、しまもようや、小《ちい》さい四角《しかく》や、星《ほし》や、花《はな》や葉《は》っぱの形《かたち》のししゅうなど、まったくついていませんでした。ある日《ひ》、ねまきちゃんは、さんぽに出《で》かけて、もうひとりのねまきちゃんにであいました。

「まあ、なんてすてきなねまきなんでしょう!」まずしいねまきちゃんが、声《こえ》をあげました。もうひとりのねまきちゃんは、お金持《かねも》ちでした。着《き》ているねまきのむなもとやそでには、色《いろ》とりどりの、きれいなししゅうがしてありました。かわいい四角《しかく》やしまもようです。

「こんにちは。あなたって、とってもきれいね。ねえ、いっしょに、あそびましょうよ」と、まずしいねまきちゃんが、お金持《かねも》ちのねまきちゃんにいいました。でも、お金持《かねも》ちのねまきちゃんは、いばって、こういいました。

「いやよ! だってあなたのねまきには、しまもようも、花柄《はながら》も、なんにもししゅうがないじゃない。だから、あなたとはあそばない!」そして、つんとすまして行《い》ってしまいました。」

そこで、こいぬは、こういいました。「お金持《かねも》ちのねまきちゃんは、ちっ

ともいい子《こ》じゃないね。だって、まずしいねまきちゃんと、いっしょにあそんであげないなんてさ。」

「そうよね。そのあと、お金持《かねも》ちのねまきちゃんは、ひとりでどろんこあそびをしていたときに、うっかりねまきをよごしてしまいました。」と、こねこがつづけました。

「それは、すましていたからだよ。それから、どうなったの？」と、こいぬは、いいました。

すると、こねこは、つづきを話《はな》しました。

「まずしいねまきちゃんの心《こころ》はいたみ、悲《かな》しみました。うちに帰《かえ》ってからも、ベッドにこしかけて、お金持《かねも》ちのねまきちゃんが、あそんでくれなかったことを、ずっと悲《かな》しんでいました。

そこへ、天使《てんし》があらわれて、こう聞《き》いたのです。「ねまきちゃん、どうしてそんなに悲《かな》しそうなの？」

「わたしは、きれいなねまきちゃんと、ともだちになりたかったの。その子《こ》のねまきには、イチゴや丸《まる》や四角《しかく》やしまもようのししゅうがあって、とってもすてきだったから。でも、わたしは、まずしくて、ねまきにししゅうが何《なに》もないから、あそばない、っていわれたの。悲《かな》しいわ」

「もう、気《き》にしないで。さあ、おやすみなさい。ねむっているあいだに、何《なに》か、いいことが起《お》こるかもしれないよ」と、天使《てんし》はいいました。

まずしいねまきちゃんは、ベッドに入《はい》りました。ねまきちゃんがねむりにつくと、天使《てんし》は、なかまの天使《てんし》たちをよびました。そして、天使《てんし》たちは、ねまきに、かわいいしまや赤《あか》い点線《てんせん》や四角《しかく》など、いろんなもようのししゅうを

して、さいごにアイロンをかけると、どこかへとんでいってしまいました。

朝《あさ》、まずしいねまきちゃんが目《め》をさますと、自分《じぶん》のねまきとは思《おも》えないほど、きれいなしわしゅうがしてありました。そして、さんぽに出《で》かけると、お金持《かねも》ちのねまきちゃんに会《あ》いました。きのう、あそんでくれなかった子《こ》です。

お金持《かねも》ちのねまきちゃんは、みなさんにお話《はな》ししたように、どろでよごれていたので、きのうの子《こ》だとは、わからないほどでした。まずしいねまきちゃんを見《み》て、「なんて、すてきなねまきなんでしょう。わたしとあそんでくれたらいいのになあ」と、つぶやくようにいいました。」

こいぬは、こねこにいいました。「ねえ、まずしいねまきちゃんは、ふん！なんていわないで、いっしょにあそんであげるだろうねえ。あのとき、お金持《かねも》ちの子《こ》は、すまして、あそんでくれなかったからさ。」と、いいまし

た。

「まずしいねまきちゃんは、きれいな点線《てんせん》や小《ちい》さい四角《しかく》のもようやしまもようが入《はい》ったねまきを着《き》ていましたが、じまんはしていませんでした。そして、あのいばっていたねまきちゃんに、こういいました。「ねえ、いっしょに、あそびましょう！」」

そこでこいぬが、「ああ、よかった。すましてなかったんだね。それで、ふたりは何《なに》をしてあそんだの？」と、聞《き》いたので、こねこはつづきを話《はな》しました。

「いろんなあそびをしました。人形《にんぎょう》であそんだり、お店屋《みせや》さんごっこや学校《がっこう》ごっこをしたでしょ。お料理《りょうり》もして、おきゃくさまを呼《よ》んだの。庭《にわ》しごとや、花《はな》かんむりを作《つく》ったり、追《お》いかけっこや、かくれんぼもしました。へとへとになるまで、たっぷりあそんだあと、ふたりは、なかよくベッドに入《はい》って、いっしょにねむりました。お金持《かねも》ちのねまきちゃんは、もうあのいばったねまきちゃんではありませんでした。二度《にど》といじわるはしない、とちかいました。それからふたりは、毎日《まいにち》いっしょにあそんで、けんかをすることもありませんでした。もちろん、どちらかが、もうひとりに、命令《めいれい》するようなことも、けっしてなかったそうですよ。」

「ああ、めでたしめでたし。ねえ、こねこさん！　ぼくの足《あし》、もういたくなくなってるよ。お話《はなし》を聞《き》いていたら、いたいの、すっかりわすれちゃった！」と、こいぬは、とてもうれしそうにいいました。

ドマジリッツェの男《おとこ》の子《こ》たちの話《はなし》

こいぬとこねこは、ソファーにすわって、何《なに》かゆかいで楽《たの》しいことはないかなあ、と考《かんが》えていました。そのとき、ドアをトントントンと、たたく音《おと》がしました。

「どうぞ。」と、ふたりがいうと、チャペックさんが入《はい》ってきました。

「おひさしぶりです、チャペックさん。ぼくがガラスのかけらをふんで、足《あし》をけがしたことも知《し》らないでしょう。」と、こいぬはいいました。

「もちろん、知《し》ってるよ。子《こ》どもたちへのお話《はなし》を書《か》いているのは、ぜんぶわたしだからね。」と、チャペックさんがいいました。

「ねまきちゃんのお話《はなし》もですか？　それと、手《て》に持《も》っているのは、手紙《てがみ》ですか？」と、こいぬは、聞《き》きました。

「そうだよ。ドマジリッツェという町《まち》の、二年生《にねんせい》の男《おとこ》の子《こ》たちからとどいた手紙《てがみ》を、ふたりに見《み》せに来《き》たんだ。」と、チャペックさんはいいました。

「手紙《てがみ》にはこう書《か》いてあったんだ。


親愛《しんあい》なるチャペック様《さま》！　ぼくたちは、こいぬとこねこのお話《はなし》がとっても気《き》に入《い》りました。作家《さっか》のチャペックさん、おねがいがあります。また、こいぬとこねこのお話《はなし》や、ぼくたちのような男《おとこ》の子《こ》が登場《とうじょう》するお話《はなし》を、すぐにでも書《か》いてください。

ドマジリッツェ小学校二年A組男子《しょうがっこうにねんえーぐみだんし》より」

「わあ、子《こ》どもたちが、ぼくたちの話《はなし》を気《き》に入《い》ってくれたなんて、うれしいなあ。子《こ》どもたちが、わらってくれるのが一番《いちばん》だね。だって、こいぬやこねこにいたずらしたり、おこらせたりしないでほしいしさ。チャペックさん、ドマジリッツェの男《おとこ》の子《こ》たちの話《はなし》を、何《なに》か書《か》いてくださいよ。」と、こいぬはいいました。

「男《おとこ》の子《こ》たちが、手紙《てがみ》でおねがいしてきたんですよ。ぜひ書《か》いてください。」と、こねこもいいました。

「そんなことといったって、ドマジリッツェの男《おとこ》の子《こ》たちを見《み》たこともないのに、どうやって書《か》けというんだね。」と、チャペックさんは少《すこ》し大《おお》きな声《こえ》でいいました。

「でも、男《おとこ》の子《こ》は男《おとこ》の子《こ》。どこへいっても、おんなじですよ。」と、こいぬはいいました。

「きっと、そうですよ。まだ小《ちい》さいこねこやこいぬの場合《ばあい》も、おんなじです。ほかより白《しろ》っぽいのもいれば、灰色《はいいろ》のもいたり、三匹目《さんびきめ》は黒《くろ》とか、四匹《よんひき》目《め》は赤毛《あかげ》だったり三毛《みけ》だったり。いろんな色《いろ》のがいますが、みんな同《おな》じように元気《げんき》ですよ。」と、こねこはいいました。

「そりゃそうだ。じゃあ、こう書《か》くことにするよ。ドマジリッツェの男《おとこ》の子《こ》たちは、一人目《ひとりめ》は白《しろ》っぽくて、二人目《ふたりめ》は灰色《はいいろ》で、中《なか》には黒《くろ》とか赤毛《あかげ》の子《こ》もいて、手《て》のぷにょぷにょした肉球《にくきゅう》のあいだにはつめがあって、みんな同《おな》じように元気《げんき》いっぱいだ、ってね。」とチャペックさんは、いたずらっぽい顔《かお》をしていいました。

「それは、ちょっとちがうわ。手《て》の肉球《にくきゅう》のあいだのつめは、ドマジリッツェの小《ちい》さなこねこやこいぬにはあっても、ドマジリッツェの男《おとこ》の子《こ》たちには、まだはえてないのよ。」と、こねこがいいました。

「そうだ、みなさん。」といって、こいぬはピョンと、ソファーからとびおりました。

「ねえ、ドマジリッツェの男《おとこ》の子《こ》たちが、いったいどんな男《おとこ》の子《こ》なのか、いっしょに見《み》にいきましょう！　ぼくの足《あし》ももういたくないし、ぜひ行《い》かなきゃ！」

「もちろん、わたしも行《い》くわ。」と、こねこがいいました。

「でも、わたしは行《い》けないんだよ。時間《じかん》がないからね。」と、チャペックさんはいいました。

「どうして、時間《じかん》がないんですか。」こいぬとこねこが聞《き》きました。

「わたしは、ドマジリッツェの男《おとこ》の子《こ》たちについて、すぐにでもお話《はなし》を書《か》かなきゃいけないいからね。行《い》っているひまがないんだよ。」

「なるほど、わかりました。じゃあ、ドマジリッツェに行《い》って、男《おとこ》の子《こ》たちについて、見《み》てきたことを、あとでお話《はな》しします。そしたら、チャペックさんが書《か》いてくれるんですね。」と、こいぬとこねこがいいました。

こうして、こいぬとこねこは、いっしょにドマジリッツェに行《い》くことになったのです。お日《ひ》さまが、まぶしいほどかがやく日《ひ》でした。外《そと》のあちこちらで、たくさんの子《こ》どもたちが楽《たの》しそうにあそんでいました。こいぬとこねこは、立《た》ち止《ど》まって、そのようすを見《み》ていました。

「こねこさん、ちょっと待《ま》っててね。男《おとこ》の子《こ》たちがおにごっこをするみたい。おに決《き》め歌《うた》をうたうから、ぼく聞《き》きにいかなきゃ。」と、こいぬがいい

ました。

男《おとこ》の子《こ》たちは輪《わ》になって、ひとりが真《ま》ん中《なか》に入《はい》ると、ひとりひとりをゆびさしながら、おに決《き》め歌《うた》をうたいはじめました。

　だれにしようかな　かみさまのいうとおり　なのなのな

　こいぬは、おに決《き》め歌《うた》がとても気《き》に入《い》りました。そして、ひとりで、男《おとこ》の子《こ》たちのところへ、おにごっこをしに行《い》ってしまったのです。こいぬは、おにごっこがとってもとくいで、こいぬに勝《か》てる子《こ》どもはいませんでした。こいぬは、シャシャッと、小《ちい》さな足《あし》をすばやく動《うご》かしたかと思《おも》うと、風《かぜ》にとばされたかのように、いなくなっていました。こいぬに追《お》いつける男《おとこ》の子《こ》は、ひとりもいなかったのです！　こいぬは、おにごっこが楽《たの》しくてしかたありませんでした。こいぬと男《おとこ》の子《こ》たちのおにごっこときたら！「や〜い、こっちこっち」と、はやしたり、キャー、ギャーと鳥《とり》のようにかん高《だか》い声《こえ》を出《だ》したり、キーキーと、ブタのようななき声《ごえ》でわめいたので、たいへんなさわぎになりました。

こねこは、こいぬと男《おとこ》の子《こ》たちがおにごっこをするようすを見《み》ていましたが、自分《じぶん》もあそびたくなってきました。ちょうど、近《ちか》くで女《おんな》の子《こ》たちが、かくれんぼをしようとしていました。輪《わ》になって、おに決《き》め歌《うた》を、うたいはじめたのです。

だれにしようかな　たいようのいうとおり　すずめのこ

こねこは、このおに決《き》め歌《うた》が、気《き》に入《い》りました。男《おとこ》の子《こ》たちがうたったおに決《き》め歌《うた》より、すてきでした。かくれんぼは、こねこが一番好《いちばんす》きなあそびでした。こねこほど、かくれんぼがじょうずな子《こ》どもはいません。こねこがかくれると、だれも見《み》つけることができませんでした。

「わたしだって、あそびたいわ。ねえ、みんな、わたしもなかまに入《い》れて！」こねこは、女《おんな》の子《こ》たちに声《こえ》をかけ、いっしょにかくれんぼをしてあそびました。

こねこは、せまいすきまでもどこでも、もぐりこむと、うんと小《ちい》さくなって、しっぽも見《み》えなくなりました。いたずらっ子《こ》のこねこは、女《おんな》の子《こ》たちがまったくちがうところをさがしているのを、トラのようにゆうぜんと、楽《たの》しそうにながめていました。かくれることでは、こねこに勝《か》てる女《おんな》の子《こ》はいません！

こねこが、女《おんな》の子《こ》たちとあそぶようすは、それはそれは楽《たの》しそうでした。ふざけあってさけぶ声《こえ》や、キャッというこねこの声《こえ》、ありとあらゆる音《おと》がまじりあいました。そのさわぎは、天国《てんごく》までとどき、赤《あか》ちゃん天使《てんし》がおひるねできるように、まどをしめたほどです。

こうして、こいぬは男《おとこ》の子《こ》たちと、こねこは女《おんな》の子《こ》たちと、すっかりあそびにむちゅうになっていました。

気《き》がつくと、だいぶ時間《じかん》がたっていました。お日《ひ》さまはしずみ、みんなのうちのお母《かあ》さんたちは、「早《はや》く帰《かえ》っておいで。ごはんを食《た》べて、ねるんだよ。」と、子《こ》どもたちを呼《よ》びました。

こいぬとこねこは、そのときはじめて、ドマジリッツェに行《い》かなきゃいけないことを思《おも》いだしました。でも、もうおそいのでした。

「ちょっと、あそびすぎちゃったわね。かくれんぼのとき、わたしすごくわらったわ！　もうおなかがいたくなるくらい。さけびすぎて、声《こえ》がガラガラだわ。」と、こねこはいいました。

「ぼくもだよ。おにごっこ、すごく楽《たの》しかった！　ドマジリッツェに行《い》くのは、もうおそいよね。」

「そうね。だって、もうすぐ暗《くら》くなるし、ドマジリッツェは遠《とお》いのよ。さあ、帰《かえ》りましょう。ドマジリッツェに行《い》こうだなんて、さいしょからむりだったのよ。だって、うちを出《で》て、何歩《なんぼ》か歩《ある》いたところで、子《こ》どもたちとあそびはじめちゃったでしょ。かくれんぼを見《み》ると、わたし、何《なに》がなんでも、かくれんぼをしたくなっちゃうの。」

「ぼくは、おにごっこだな。でも、チャペックさんに、なんていおうか。」

と、こいぬはいいました。

「ねえ、ドマジリッツェに行《い》ってきました、ってチャペックさんを、からかってみない？」

「うん、そうしようか！」と、こいぬはいいました。

ふたりがうちに帰《かえ》ると、チャペックさんが待《ま》っていました。

「それで、ドマジリッツェは、どうだった？」チャペックさんは、ふたりをむかえて、いいました。

「すてきでしたよ。でも、遠《とお》かったです。まだ、息《いき》がゼーゼーしちゃって。」

「くるしそうじゃないか。走《はし》らなきゃいけなかったのかい。それで、ドマジリッツェの男《おとこ》の子《こ》たちは、どんな男《おとこ》の子《こ》たちだったんだい？」と、チャペックさんは聞《き》きました。

「ドマジリッツェの男《おとこ》の子《こ》たちですか？　ドマジリッツェの男《おとこ》の子《こ》たちのことは……、なんともいいあらわせないですねえ。」と、こいぬはいいました。

「なんだって。ドマジリッツェの男《おとこ》の子《こ》は、よその男《おとこ》の子《こ》たちとはちがうっていうのかい。」と、チャペックさんは、おどろいていいました。

「いや、ほんとに。あの男《おとこ》の子《こ》たちったら、まあ！　わたしは見《み》たとたんに、口《くち》をぽかんとあけて、動《うご》けなくなりました。」と、こねこはいいました。

「ぼくも、ぼうだちになりました。」と、こいぬはいいました。

「まさか。何《なに》におどろいたんだね？」と、チャペックさんは聞《き》きました。

「では、わたしたちがそのことについてお話《はな》ししますので、すぐに書《か》きはじめてくださいね。」と、こねこがいいました。

「わかった。じゃあ、話《はなし》をしておくれ。」とチャペックさんが、いいました。

「では書《か》いてください。ドマジリッツェの男《おとこ》の子《こ》たちには、丸《まる》い頭《あたま》があります。」と、こねこがいいました。

「頭《あたま》のてっぺんには、かみの毛《け》がはえています。」と、こいぬがいいました。

「目《め》のあいだに鼻《はな》があります。」と、こねこがいいました。

「鼻《はな》の下《した》に口《くち》がありますが、おどろいたことに、大《おお》きなあなのようなんです！」と、こいぬがせつめいしました。

「どうたいは長《なが》くて、片方《かたほう》の先《さき》には頭《あたま》がついています。もう片方《かたほう》には足《あし》が

二本《にほん》ついています。」と、こねこはいいました。

「そして、なんと、足《あし》は地面《じめん》までのびてるんですよ！」と今度《こんど》は、こいぬがいいました。

「そして、なんと、男《おとこ》の子《こ》たちが歩《ある》くときは、いつも一本《いっぽん》の足《あし》を後《うし》ろにひいておくんです。」と、こねこがいいました。

「このいたずらこぞうめっ！　おまえさんたちのいうことを書《か》きとっていたら、ほらごらん、こんなのはどこにでもいるふつうの男《おとこ》の子《こ》じゃないか！わたしを、からかったなあ。」と、チャペックさんがさけびました。

「そんなことありませんよ。だって、どこにでもこういう男《おとこ》の子《こ》っていますよね。」と、こねこは、わらっていいました。

「ドマジリッツェの男《おとこ》の子《こ》たちが、どこにでもいる男《おとこ》の子《こ》ならば、きっとドマジリッツェのこいぬとおにごっこをしたり、こねことかくれんぼをしたりしているんじゃないかな。」と、こいぬはいいました。

「きっとそうですよ。男《おとこ》の子《こ》も女《おんな》の子《こ》も、世界中《せかいじゅう》どこでもみんなおんなじように、あそんでいるんじゃないかしら。ボールやキックボードや、おもちゃの電車《でんしゃ》や車《くるま》につみき、人形《にんぎょう》もクレヨンも色《いろ》えんぴつでも、あそぶものはなんでもあって、キャーキャーいったり、わらったりしているはずですよ。」

と、こねこはいいました。

こいぬとこねこがおいわいのケーキをやいた話《はなし》

あしたは、こいぬのおいわいの日《ひ》*で、こねこの誕生日《たんじょうび》です。子《こ》どもたちは、こいぬとこねこをびっくりさせたいと思《おも》いました。何《なに》かあげようか、それとも何《なに》かしてあげようか、と考《かんが》えていると、いいことを思《おも》いつきました。

「ねえ、こいぬくんとこねこさんに、おいわいのケーキを作《つく》ってあげるのはどうかしら？」

子《こ》どもたちは砂場《すなば》に来《く》ると、丸《まる》い型《かた》に砂《すな》をつめ、ポンとうらがえしました。すると、きれいなケーキの台《だい》ができました。その上《うえ》に白《しろ》い小石《こいし》を五《いっ》つのせた

ので、まるでアーモンドをかざった本物《ほんもの》のケーキのようでした。

子《こ》どもたちは、ケーキをこいぬとこねこにわたしにいきました。

「こいぬくんのおいわいの日《ひ》と、こねこさんのお誕生日《たんじょうび》、おめでとう！ケーキを持《も》ってきました。とってもおいしいケーキです。ぜんぶ食《た》べてね。」

こいぬとこねこは、ケーキをうけとると、「どうもありがとう。ムシャムシャ、こんなにおいしいケーキ、はじめてだよ。じょうずにできたね。」といって、ほんとうに食《た》べているようなふりをしました。子《こ》どもたちはよろこんで、うちへ帰《かえ》っていきました。

子《こ》どもたちがいなくなると、こいぬはこねこにいいました。

「いぬやねこが、砂《すな》を食《た》べないのは、ざんねんだよねえ。こんなきれいなケーキなら、食《た》べてみたいよ。ああ、すごくケーキが食《た》べたくなっちゃった。

だけど、本物《ほんもの》のケーキをね！」

「わたしも食《た》べたくなっちゃった。あしたは、わたしの誕生日《たんじょうび》で、こいぬくんのおいわいの日《ひ》だから、本物《ほんもの》のケーキを作《つく》りましょうよ！　でも、ケーキってどうやって作《つく》るのかしら。」と、こねこがいいました。

「すごく、かんたんだよ。ぼく、本物《ほんもの》のケーキの作《つく》り方《かた》、知《し》ってるよ！　好《す》きな食《た》べ物《もの》をなんでも入《い》れたらいいんだよ。そうすると、とびきりおいしいケーキができるんだ。もしもだよ、一番《いちばん》おいしいものを五《いつ》つ入《い》れたら、そのケーキは五倍《ごばい》おいしくなるんだ。もし、一番《いちばん》おいしいものを十個《じっこ》入《い》れたら、そのケーキは十倍《じゅうばい》おいしくなるんだよ。だから、そこに百個《ひゃっこ》のおいしいものを入《い》れて、百倍《ひゃくばい》おいしいケーキを作《つく》ろうよ！」と、こいぬがいいました。

「わかったわ。じゃあ、とびきりおいしいケーキを作《つく》りましょう。」と、こ

ねこがいいました。

こいぬとこねこは、エプロンをして、さっそくケーキを作《つく》りはじめました。

まず、材料《ざいりょう》の小麦粉《こむぎこ》に牛乳《ぎゅうにゅう》と卵《たまご》を入《い》れて、かきまわします。

「ケーキは甘《あま》くないとだめよね。」と、こねこはいって、砂糖《さとう》を入《い》れました。

「少《すこ》しは、しょっぱくないとね。」こいぬは、そういうと、塩《しお》を入《い》れました。

「じゃあ今度《こんど》は、バターとジャムを入《い》れましょう。」と、こねこがいいました。

「ジャムはどうかな。ぼくは、あんまり好《す》きじゃないや。ジャムのかわりに、チーズを入《い》れようよ。ぼくの好《す》きなチーズを。」と、こいぬはいって、チーズをいくつか入《い》れました。

「あぶらっ気《け》が足《た》りないと思《おも》うの。ベーコンを少《すこ》し入《い》れなきゃ。」と、こねこはいいました。

「ナッツもわすれちゃいけないね。」といって、こいぬは、袋《ふくろ》に入《はい》っていたナッツをぜんぶ入《い》れました。

「ナッツは、おいしいものね。」と、こねこはいって、「そうそう、きゅうりのピクルス。」と、きゅうりのピクルスも入《い》れました。

「それと骨《ほね》。骨《ほね》を入《い》れなきゃ！」と、こいぬはいって、骨《ほね》をたくさん入《い》れました。

「ネズミも入《い》れなきゃ。ネズミって、わたし大好《だいす》き！」こねこは思《おも》いだして、ねずみを四匹《よんひき》入《い》れました。

「じゃあ、ぼくの好《す》きなこしょうがきいた、からいソーセージも。」と、こいぬはいって、ソーセージを何本《なんぼん》か入《い》れました。

「これをわすれちゃいけないわ。ふわふわにあわだてた生《なま》クリームを入《い》れなきゃ！」こねこはそういって、こいぬといっしょに、なべいっぱいに作《つく》った生《なま》クリームを入《い》れました。

「それから玉《たま》ねぎを少《すこ》し。」と、こいぬはいって、玉《たま》ねぎを入《い》れました。

「あとチョコレートも。」と、こねこはいって、さらにチョコレートを入《い》れました。

「煮《に》こんだソース！」と、こいぬは思《おも》いついて、煮《に》こんだソースを入《い》れました。

こうして、ケーキを作《つく》るのに、思《おも》いつくかぎりなんでも入《い》れたのです。にんにくや、こしょうや、ブタのあぶらや、あめ玉《だま》や、肉《にく》のペースト、それからシナモン、おかゆとジンジャークッキーと、カカオと、キャベツのつけもの、がちょうの頭《あたま》をひとつ、レーズン……。とにかくケーキを作《つく》るのに、入《い》れられるものはなんでも入《い》れました。ただひとつ、黒《くろ》パンは入《い》れませんでした。こいぬとこねこは、黒《くろ》パンが食《た》べられないからです。

今度《こんど》は、ぜんぶがよくまざるように、かきまわしました。すると、とんでもなく大《おお》きなものになりました。車《くるま》のタイヤぐらいの大《おお》きさです。

「うわ～、すごく大《おお》きい！　でもおなかいっぱい食《た》べられるね。じゃあ、あとはオーブンでやくだけ。」と、こいぬとこねこは、うれしそうにいいました。

そして、オーブンに入《い》れて、ふたりはケーキがやきあがるのを楽《たの》しみに待《ま》っていました。ところが、ケーキからは、けむりがでてきて、ふくれあがってプスプス、シューシューいいはじめ、油《あぶら》がはねる音《おと》がしたかと思《おも》うと、シヤーシャーいって湯気《ゆげ》が出《で》てきました。油《あぶら》のにおいと、こげたにおいがして、ふくらんだかと思《おも》うと、中《なか》からしるがあふれ、またけむりが出《で》てきました。まるで、古《ふる》いぞうきんがこげたような、みょうなにおいがしてきました。

ケーキが、やっとやきあがりました。ケーキをさますために、ふたりはオーブンから出《だ》して、ドアの外《そと》にしばらくおくことにしました。

「ねえ、おいわいのケーキをくれた子《こ》どもたちを呼《よ》んで、このケーキをいっしょに食《た》べましょうよ。」こねこが、こいぬにいいました。

「じゃあ、さっそく子《こ》どもたちを呼《よ》びに行《い》こう。」と、こいぬはいいました。

ふたりが、手《て》をつないで、子《こ》どもたちのところへ行《い》くと、みんなは庭《にわ》にいて、ビー玉《だま》であそんでいました。

こいぬとこねこは、「ケーキをやいたので、いっしょに食《た》べよう。」と、子《こ》どもたちをお茶《ちゃ》にしょうたいしました。そして、ケーキがさめるあいだ、子《こ》どもたちと、ビー玉《だま》やボール、つみきであそびました。

そのころ、ケーキのそばを、一匹《いっぴき》のよくばりないぬが通《とお》りかかりました。ケーキのにおいが、鼻先《はなさき》まで、とどいたのです。

「ウ~ワンワン」いぬは、これはなんだろう、と思《おも》いました。

「ああ、おれさまの好《す》きな、いいにおいがする!」クンクンクンクン、においのするほうへ歩《ある》いていくと、こいぬとこねこがやいたケーキに、出《で》くわしました。

「ははん、においの正体《しょうたい》はこれだったんだな。さっそくいただくよ。」いぬは、ケーキをムシャムシャ食《た》べはじめました。ところが、目《め》にはなみだがうかんできました。ケーキの中《なか》は、まだ熱《あつ》かったのです。それでも、がつがつ食《た》べつづけ、とちゅうでのどをつまらせて、ゴホゴホとせきこみました。いぬは、むさぼるようにケーキを食《た》べて、ついにたいらげてしまいました。さらに、じょうろの水《みず》をぜんぶ飲《の》んで、大《おお》きなおなかでゴロンゴロンと、ころがるようにどこかへ行《い》ってしまいました。

さて、こいぬとこねこは、子《こ》どもたちと、思《おも》うぞんぶんあそんだところで、ケーキのことを思《おも》いだしました。そこで、みんなで手《て》をつないで、ケーキがさめたかどうか、見《み》に行《い》くことにしました。

「ねえ、みんな。とびきりおいしいケーキを、いっしょに食《た》べようね。おいしいものをたくさん入《い》れたから、何《なに》が入《はい》っているか当《あ》てられないと思《おも》うよ！」と、こいぬとこねこは、いいました。

うちに着《つ》きました。あれれ？……ケーキがありません！

「え〜、どうしよう。ケーキがないよ。だれかが持《も》っていっちゃったんだ！」こいぬとこねこは、いいました。あたりを見《み》まわしてみると、大《おお》きないぬがやぶの中《なか》で横《よこ》たわって、くるしそうに、うなっていました。ケーキを食《た》べすぎたいぬは、気持《きも》ちが悪《わる》くなって、おなかもひどくいたむのでした。

「いたいよ、いたいよ！　おなかがこんなにいたくなるなんて、ケーキの中《なか》には、いったい何《なに》が入《はい》っていたんだ！」と、いぬは、おこっていました。

「おまえが、ひとのケーキをかってに食《た》べちゃったからだぞ！」と、こいぬがいぬをしかると、こねこがいいました。

「ねえ、こいぬくん、わたしは、このよくばりないぬがケーキを食《た》べちゃったことなんて、気《き》にしないわ。だって、わたしたちがもしこのケーキを食《た》べて、具合《ぐあい》が悪《わる》くなっていたら、おいわいの日《ひ》と誕生日《たんじょうび》が、だいなしになっ

ていたじゃない。」

「そうだね。よくばりないぬは、いたがって、もんくをいっていればいいよ。だけど、ぼくはおなかがすいちゃった。なんでもいいから食《た》べたいな。うちにあるものはぜんぶ、ケーキにいれちゃったし……。せっかくケーキをつくったのに、ぼくのおなかがぺこぺこなんて、いやだよ。」

するると、子《こ》どもたちがいいました。「こいぬくんとこねこさん、しんぱいしないで。うちにおいでよ。ぼくらといっしょに、お昼《ひる》ごはんを食《た》べよう！」

こいぬとこねこは、子《こ》どもたちのうちにいっしょに行《い》きました。

「みんな、ごはんよ。」と、お母《かあ》さんが呼《よ》びました。

子《こ》どもたちはいいました。「お母《かあ》さん、こいぬくんのおいわいの日《ひ》と、こねこさんのお誕生日《たんじょうび》だから、お昼《ひる》ごはんを、ごちそうしないとね。」

そして、こいぬとこねこにも、お昼《ひる》ごはんを分《わ》けてくれました。まずはスープを、それから、じゃがいものおだんごをそえた肉料理《にくりょうり》も。それから、きのうやいたコラーチ*というおかしも少《すこ》し、お母《かあ》さんがどこからか、出《だ》してきました。

こいぬとこねこは、とってもおいしそうに食《た》べると、子《こ》どもたちにお礼《れい》をいって、まんぞくそうに帰《かえ》っていきました。

「いいおいわいになったね！」

「ほんと。だって、あんなにおいしいお昼《ひる》ごはんを食《た》べて、おなかはぜんぜんいたくならないもの。」と、こいぬとこねこは、よろこびあいました。

うちに着《つ》いてみると、よくばりないぬは、まだやぶの中《なか》で、うう、ああ、と苦《くる》しそうなうなり声《ごえ》をあげ、ぶつぶつともんくをいっていました。

こいぬとこねこは、おいしいお昼《ひる》ごはんで、おなかがいっぱいになったので、昼寝《ひるね》をすることにしました。いろいろあったけど、最後《さいご》はめでたしめでたしだったね、とうれしそうに話《はな》しました。

あのよくばりないぬは、どうなったのでしょう。あれから十四日間《じゅうよっかかん》も、ずっとやぶの中《なか》で、いたがって、もんくをいいつづけたそうですよ。

＊おいわいの日《ひ》……自分《じぶん》の名前《なまえ》にちなんだ聖人《せいじん》の日《ひ》。
＊コラーチ……家庭《かてい》で焼《や》くことが多《おお》い果物《くだもの》などを入《い》れた焼《や》き菓子《がし》。丸《まる》い形《かたち》が一般的《いっぱんてき》。

しくしくないていた人形《にんぎょう》の話《はなし》

雨《あめ》がずっとふりつづいている日《ひ》のことでした。外《そと》は寒《さむ》い上《うえ》に、どこもかしこもぬれていたので、こいぬとこねこはあそびにいけず、うちの中《なか》でおしゃべりをしていました。

「ねえ、こねこさん。子《こ》どもたちが持《も》っているようなおもちゃが、うちにもあったらいいよね。そうしたら、雨《あめ》の日《ひ》でもあそべるのに。」と、こいぬがいいました。

「わたしは、おもちゃがなくても平気《へいき》よ。毛糸玉《けいとだま》か、紙《かみ》が少《すこ》しあれば、いくらだってあそべるの。子《こ》どもたちって、おもちゃをたくさん持《も》っているのに、あきると放《ほう》りだしちゃうのよね……。」と、こねこはいいました。

「うーん、がっかりしちゃう。おもちゃをよごしたり、こわしたりしないで、もっと大切《たいせつ》にすればいいのにね。もう、うんざりだ……。」と、こいぬは、うなるようにいいました。

「それは、きちんとしていない子《こ》どもたちなのよ。わたしも、こわれたおもちゃを、どれほど見《み》たことか。大切《たいせつ》にできない子《こ》には、あげなければいいのに。こいぬやこねこなら、もっと大事《だいじ》にすると思《おも》うわ。」と、こねこはいいました。

「そうだね。中《なか》には、ちゃんとしていない、こいぬとこねこもいるけど。人間《にんげん》の子《こ》どもなら、もっとわかっていいはずなんだ。」

こうして、こいぬとこねこは、おしゃべりをしているうちに、ねむってしまいました。

つぎの日《ひ》の朝《あさ》、目《め》がさめると、雨《あめ》はやんでお日《ひ》さまがかがやいていました。

「わあ、いい天気《てんき》。外《そと》に行《い》こう。」と、こいぬとこねこはよろこんで、さっそく出《で》かけました。ふたりが歩《ある》いていくと、どこからか、しくしくないている声《こえ》が聞《き》こえてくるではありませんか。

「あれ、なんだろう。だれかないてるよ。小鳥《ことり》かな？」と、こいぬはいいました。

「小鳥《ことり》じゃないと思《おも》うわ。小鳥《ことり》たちは、こんなに、かぼそい声《こえ》で、ないたりしないもの。きっと、何《なに》か小《ちい》さな虫《むし》がこまっているんじゃない。それでないているのよ。」

「ちょうちょ、かな。」と、こいぬがいいました。

「もしかして、花《はな》が折《お》られてないているのかもね。」と、こねこがいいました。

ふたりは、かすかななき声《ごえ》がどこからするのか、まわりをよくさがしました。すると、雨《あめ》にぬれた草《くさ》むらの中《なか》、イラクサの下《した》に、小《ちい》さな人形《にんぎょう》が横《よこ》たわっていたのです！　子《こ》どもが、この小《ちい》さな人形《にんぎょう》をなくしてしまったか、すててしまったのでしょう。もう何日《なんにち》か、たっているようでした。人形《にんぎょう》は雨《あめ》にふられて、洋服《ようふく》もびしょぬれでした。頭《あたま》に少《すこ》しけがをしていました。おまけに、おなかがすいていて、コンコン、とせきも少《すこ》し出《で》ています。草《くさ》むらにずっとひとりでいたので、おびえていました。

「どうして、そんなにないているの？」こいぬとこねこが、人形《にんぎょう》に聞《き》くと、

「女《おんな》の子《こ》が、わたしをおいてどこかへ行《い》ってしまったの。おなかはすくし、ひとりぼっちでさみしくなって……。」と、人形《にんぎょう》はいいました。

「かわいそうに。こんな小《ちい》さい子《こ》をおいてどこかへ行《い》ってしまうなんて、その女《おんな》の子《こ》は、いいお母《かあ》さんとはいえないね。小《ちい》さい子《こ》は、自分《じぶん》で何《なに》もできないんだから、お母《かあ》さんがそんなことしちゃいけないよ。」と、こいぬはいいました。

「あなたがひとりぼっちなら、うちへ行《い》きましょう！」と、こねこがいいました。

こいぬとこねこは、このおきざりにされた人形《にんぎょう》を大事《だいじ》にかかえて、うちにつれて帰《かえ》りました。人形《にんぎょう》は、ほっとして、なきやんでいました。もう雨《あめ》にぬれたイラクサの下《した》で、じっと横《よこ》たわっていなくてもいいのです。

「わあい、うれしいなあ。外《そと》で見《み》つけたこの人形《にんぎょう》が、うちの子《こ》になるんだね！」こいぬとこねこは、よろこびました。

こねこは、泥《どろ》でよごれた人形《にんぎょう》の服《ふく》をきれいにせんたくして、気持《きも》ちよくかわくように、お日《ひ》さまにほしました。こいぬは、人形《にんぎょう》が寒《さむ》くないように、あたたかいベッドにねかせてやると、ミルクの入《はい》ったカップと、三日月型《みかづきがた》のパンを持《も》ってきました。人形《にんぎょう》は、こいぬが持《も》ってきたものを食《た》べて、安心《あんしん》してねむりにつきました。

こいぬとこねこは、人形《にんぎょう》が目《め》をさまさないように、つま先《さき》でそっと歩《ある》きました。自分《じぶん》たちの子《こ》どもができて、よろこんだのはいうまでもありません。

こねこは、こいぬにいいました。「こいぬくん、わたしたちに、子《こ》どもができたのだから、しっかりお世話《せわ》をしましょうね。」

「そうだね。人形《にんぎょう》をおきざりにした女《おんな》の子《こ》よりも、ぼくたちのほうがずっとずっとよくめんどうを見《み》よう。うちが気《き》に入《い》ってもらえると思《おも》うんだけどなあ。ぼくたちは人形《にんぎょう》を、どこにもすてたりしないよ。」と、こいぬはいいました。

「人形《にんぎょう》をいつも、きれいにしてやりたいわね。ねこは、いつでも毛《け》づくろいをしてきれいでしょ。だから、わたしがきれいにするわ。あっ、こいぬくん、わたしたち大事《だいじ》なことを忘《わす》れてる！　人形《にんぎょう》にあげるおもちゃが、ひとつもないわ。きっと、おもちゃであそびたくなるでしょう。でも、ないものは、あげられないしね。」と、こねこはいいました。

「うーん、たしかにおもちゃを、ひとつも持《も》っていないしなあ。手《て》に入《い》れるのは、そうかんたんじゃないぞ。」

「そうでしょう。だから、ちえをしぼらなきゃ。」と、こねこはいいました。

こいぬとこねこは、どうしたら、おもちゃを手《て》に入《い》れられるか、頭《あたま》をひねりました。子《こ》どもたちだって、おもちゃを作《つく》れないのに、ふたりにはむりな話《はなし》でした。子《こ》どもたちがあそんでいるときに、こっそりぬすむだなんて！

そんなことは、わたしたちのこいぬとこねこは、ぜったいにしませんでした。

こいぬはじっと考《かんが》えていましたが、ついにひらめきました。

「わかった！　いいことを思《おも》いついた！」こいぬが、うれしくなって、さけびました。

「しーっ、しずかに。わたしたちの人形《にんぎょう》、子《こ》どもが起《お》きちゃうでしょう。」

と、こねこは、ささやきました。

「あのね、こねこさん。いいかい。」こいぬは、小《ちい》さな声《こえ》でこねこにいいました。

「きのう、ちょうど、子《こ》どもたちが、おもちゃを大切《たいせつ》にしない話《はなし》をしたよね。なくしたり、すてたりするって。きょうぼくたちは、たまたますてられていた、かわいそうな人形《にんぎょう》を見《み》つけたでしょ。だから、子《こ》どもたちがなくしたおもちゃをさがしてみたら、ちょうどいいのが見《み》つかるかもしれないよ。それを、ぼくたちの人形《にんぎょう》にあげればいいのさ！」

「いいわね。じゃあ、おもちゃが、落《お》ちていないか、さっそくさがしてきて。見《み》つけたら、わたしたちの人形《にんぎょう》にあげましょう！」と、こねこはよろこんでいいました。

こいぬは外《そと》を歩《ある》きはじめると、あっちこっちかぎまわって、いろんなところへもぐりこんでは、おもちゃをさがしました。みなさんは、こいぬが、いったいどれくらい、おもちゃを見《み》つけたと思《おも》いますか。みなさんは、なくしたり、こわれてすててしまった、たくさんのおもちゃのことを、もうわすれているでしょう。こいぬは、それをぜんぶ見《み》つけたのです。

草《くさ》むらにあったのは、子《こ》どもがなくしたボールでした。別《べつ》のところでは、砂場《すなば》であそぶスコップやバケツ、それからネックレスや色《いろ》とりどりのつみきも見《み》つけました。おままごとのお皿《さら》や小《ち》さないす、たくさんの絵《え》と、笛《ふえ》や小《こ》石《いし》もありました。ほかにも、木《き》でできたおもちゃの家《いえ》ともみの木《き》と動物《どうぶつ》もあったのです。あんまりたくさんあったので、持《も》ちきれないほどでした。

「わあ、すごいなあ。こんなにたくさんのおもちゃを、ぼくたちの子《こ》どもにあげられるなんて。」こいぬは、うれしくなりました。うちに持《も》ちかえると、こねこは、たくさんのおもちゃを見《み》ておどろきました。

「まあ、こんなにすてられていたの!?」こねこは、両手《りょうて》をパンとたたいて、いいました。

「それなら、わたしもさがしにいくわ。こいぬくんが入《はい》れないような、せまいすきまも、わたしならスルッと入《はい》っていけるの、知《し》ってるでしょう。たくさん見《み》つけてくるわね。」そういって、こねこは出《で》かけていきました。どんなすみっこの、せまいすきまでも入《はい》っていって、おもちゃをさがしました。

みなさんは、こねこがどれくらい、おもちゃを見《み》つけたと思《おも》いますか。子《こ》どもたちに、すてられたり、わすれられたおもちゃの数《かず》といったら!

こねこは、かきねの下《した》で、バケツと、こわれたおもちゃのじょうろを、イラクサの下《した》で、つみきを見《み》つけました。草《くさ》むらには、人形《にんぎょう》のくつや、くつしたもありました。さらに、昔話《むかしばなし》の本《ほん》と、絵《え》と、色《いろ》とりどりの布《ぬの》や糸《いと》。べつの

ところでは、ししゅうのハンカチと、ししゅうばりを見《み》つけました。そして、人形《にんぎょう》があそべるような、ちっちゃな人形《にんぎょう》もありました。ねこがあそぶ羽《はね》つきボールもです。それから、色紙《いろがみ》とわなげも、小《ちい》さなコップも見《み》つけました。あんまり多《おお》いので、こねこは、持《も》ちきれないと思《おも》ったほどです。

でも、こねこは、おもちゃをぜんぶうちに持《も》ちかえったので、こいぬといっしょに、おもちゃの店《みせ》が開《ひら》けるほどでした。それから、ふたりはイラクサの下《した》でひろった人形《にんぎょう》のまわりに、おもちゃをぜんぶならべてみました。人形《にんぎょう》が目《め》をさますと、それはそれはよろこびました。だって、たくさんのおもちゃに、かこまれていたんですもの。

人形《にんぎょう》は、こいぬとこねこの家《いえ》がとても気《き》に入《い》りました。そして、こいぬとこねこといっしょに、おもちゃで思《おも》いっきりあそびました。それでも、あそ

びきれないほどおもちゃは、たくさんあったのです。

こいぬとこねこは、人形《にんぎょう》にヤーリンカという名前《なまえ》をつけて、かわいがりました。ヤーリンカも、こいぬとこねこが大好《だいす》きでした。人形《にんぎょう》は、とても大事《だいじ》にされたので、イラクサの下《した》に自分《じぶん》をすてた前《まえ》のお母《かあ》さん、女《おんな》の子《こ》のことは、あれっきり思《おも》いだすことはありませんでした。こいぬとこねこが外《そと》で見《み》つけたおもちゃは、大切《たいせつ》にしたので、どこかにわすれてきたり、すてたりすることもありませんでした。

というわけで、すてられていた、かわいそうな人形《にんぎょう》は、どんな子《こ》どもよりも、どんな人形《にんぎょう》よりも、世界《せかい》で一番《いちばん》おもちゃをたくさん持《も》っている人形《にんぎょう》となったそうです。

こいぬとこねこがおしばいをした話《はなし》

冬《ふゆ》のある日《ひ》のことでした。こいぬとこねこは、外《そと》で子《こ》どもたちとあそびたいと思《おも》いました。けれども、子《こ》どものすがたはどこにも見《み》あたりませんでした。

「どうして、だれも外《そと》にいないのかなあ。イェンダとヴェラ、ペピークやヘレンカもいないよ。あと、ゾルカとイルカとミルコでしょう。ほら、オチークや、アレンカ。みんな、どこにいるのかなあ。」と、こいぬはいいました。

「学校《がっこう》に決《き》まってるじゃない。一番小《いちばんちい》さい子《こ》たちは、保育園《ほいくえん》に行《い》っていて、大《おお》きい子《こ》はもう小学校《しょうがっこう》の一《いち》、二年生《にねんせい》よ。」と、こねこはいいました。

「あ、そうか。きょうは日曜日《にちようび》じゃなかったね。」と、こいぬは思《おも》いだしました。

「イエンダとヴェラは、鼻《はな》かぜをひいて、せきも出《で》るから、きょうは学校《がっこう》をお休《やす》みしているんですって。」と、こねこはいいました。

「イエンダとヴェラって、ぼくの好《す》きな、あのおりこうさんたちが？　ねえ、こねこさん、子《こ》どもたちが外《そと》であそべないなら、ぼくたちがふたりのうちへ行《い》って何《なに》か楽《たの》しいことをしてこようよ。」

「いいわね。うちの子《こ》になった人形《にんぎょう》のヤーリンカも、つれていきましょう。大《おお》ぜいいたほうが楽《たの》しいから。」

こいぬとこねこは、人形《にんぎょう》のヤーリンカと手《て》をつないで、イェンダとヴェラのうちへむかいました。

そのころ、ふたりの子《こ》どもたちは、コンコンとせきをして、鼻《はな》もつまってつらそうでした。のどにはタオルがまいてあって、外《そと》にはあそびに行《い》けないし、時間《じかん》がすぎるのを、とても長《なが》く感《かん》じていました。

「こねこさん、子《こ》どもたちと何《なに》をしてあそぶか、ぼく思《おも》いついたよ。何《なに》か、おしばいをするのはどう？」と、歩《ある》きながら、こいぬとこねこが話《はなし》をしていると、子《こ》どもたちのうちに着《つ》きました。

イェンダとヴェラは、ベッドにこしかけていました。あそびというあそびは、ぜんぶやってしまったので、あとは何《なに》をすればいいのか、ふたりは、いいあいをしていました。

「子《こ》どもたち、こんにちは。ぼくたち、おしばいをしにきました。」と、こいぬとこねこは、いいました。イェンダとヴェラは、よろこんで、ベッドにちゃんとすわりなおすと、おしばいがはじまるのを待《ま》っていました。

「おしばいのはじまりの合図《あいず》は、チリリリリという音《おと》です。少《すこ》しお待《ま》ちください。」と、こいぬとこねこは、いいました。そして、こいぬとこねこは、どんなおしばいをするのか、相談《そうだん》しました。

こねこは、「わたしはおきさきさまで、こいぬくんは王《おう》さまになるの。人《にん》形《ぎょう》のヤーリンカは、わたしたちのむすめだから、あとでおひめさまになるのよ。」と、いいました。

そして、王《おう》さまとおきさきさまのかっこうをしました。マントのかわりに、エプロンを首《くび》にまいて、すその長《なが》い王《おう》さまのマントにしました。りぼんのか

ざりもつけました。そのいしょうを着《き》て、ふたりは王《おう》さまとおきさきさまらしく、しゃなりしゃなりと歩《ある》きました。

それから、ふたりはいすにすわって、まるでそこにコーヒーがあるかのように、おしばいをしました。こいぬは、王《おう》さまになりきって、ためいきをつくと、いいました。

「きさきよ、きょうわたしは、コーヒーを飲《の》まないことにする。なぜなら、悲《かな》しいからだ。」

「ねえ、王《おう》さまは、なんで悲《かな》しいの？」と、女の子《おんなのこ》のヴェラが聞《き》きました。

「わたしは、黄金《おうごん》の国《くに》と銀《ぎん》の国《くに》、そしてダイヤモンドの国《くに》の王《おう》さまだ。それらの国《くに》は遠《とお》く、十《じゅう》の山《やま》と十《じゅう》の川《かわ》、そして青《あお》い海《うみ》と黄色《きいろ》い海《うみ》と緑《みどり》の海《うみ》のむこうにある。だが、わたしたちには王家《おうけ》のひめとなる、むすめがいないのじゃ。

むすめがいないことが、わたしは悲《かな》しいのだ。」

「王《おう》さま、わたくしがいいことをお教《おし》えしましょう。ある王家《おうけ》のむすめについて知《し》っています。白《しろ》い国《くに》のむすめのことです。白《しろ》い国《くに》は遠《とお》く、黒《くろ》い国《くに》のむこうにありますが、車《くるま》で行《い》って、そのむすめを王《おう》さまのために買《か》ってきましょう。」と、こねこはいいました。

こねこは、大《おお》きなかばんを持《も》って、車《くるま》に乗《の》って出《で》かけるふりをしました。王《おう》さま役《やく》のこいぬは、お城《しろ》にのこっていました。コーヒーを飲《の》むまねをしながら、「ひめはまだか、むすめはまだか。ほんとうに楽《たの》しみじゃのう。」と、くりかえしいいました。

こねこは、かばんに人形《にんぎょう》のヤーリンカをいれると、ブップーッといいながら、もどってきました。

「こいぬくん、ただいま。ひめになるむすめさんをつれてきたの。百《ひゃく》コルナでした。」

「いいかい、ぼくは今《いま》、こいぬじゃなくて王《おう》さまだよ。そして、こねこさんは、おきさきさまなんだから。」と、こいぬはいいました。

王《おう》さまは、人形《にんぎょう》をうでにだいて「おお、わがむすめよ、わがひめよ。」と、とてもよろこびました。

「きさきよ、ひめをりっぱに育《そだ》てよう。ありとあらゆる勉強《べんきょう》をさせて、ピアノと、料理《りょうり》もならわせよう。」

そのときです。「チリリリリ」と、こねこが合図《あいず》をすると、子《こ》どもたちにむかっていいました。

「おしばいは、いったんここでおわります。また、ならしたら、つづきをやります。」

こいぬとこねこは、すみっこへ行《い》って、おしばいのつづきをどうするか、相談《そうだん》をしました。

そして、王《おう》さまとおきさきさまのいしょうを、ぬぎました。今度《こんど》は、こねこは、頭《あたま》にスカーフをかぶり、こいぬは、ぼろ布《ぬの》を体《からだ》にまきつけました。それから、「チリリリリリ」とこねこが合図《あいず》をすると、おしばいをつづけました。

「ぼくは、もう王《おう》さまではありません。こねこさんは、おきさきさまではありません。つぎの場面《ばめん》では、ぼくたち、まずしい人《ひと》をやります。」こいぬは、子《こ》どもたちにつたえました。

「王《おう》さまとおきさきさまでなくなって、まずしい人《ひと》になったわたしたち。

こいぬくんは、小屋《こや》のまずしい主人《しゅじん》で、わたしはまずしいおかみさんです。ああ、うちにはパンもないし、料理《りょうり》もできない。むすめがいるというのに、ろくに食《た》べさせるものもないなんて。おまえさん、いったい、どうしたものかね。」

「そうだ、それならむすめを森《もり》へつれていって、だれかに、ひろってもらうしかないだろう……。」と、こいぬがいうと、こいぬとこねこは、おいおいとなくふりをしました。

「森《もり》へつれていくことなんか、おれにはむりだ。オオカミに、食《く》われちまうかもしれん。」と、こいぬがいいました。

「いい人《ひと》に出会《であ》ったら、売《う》りましょうよ。むすめをほしいと思《おも》う人《ひと》が、いるかもしれないし。」

こいぬとこねこが、子《こ》どもたちのところへ、人形《にんぎょう》のヤーリンカを持《も》っていくと、こねこは、イェンダとヴェラにいいました。

「いっしょに、おしばいをやりましょう。ふたりは、むすめをほしいと思《おも》っている人《ひと》になってね。だから、わたしたちからむすめを買《か》ってちょうだい。」

「おっ、あそこに、だれかいるぞ。だんなさま、おくさま、むすめをもらってくれませんか。」こいぬが、人形《にんぎょう》のヤーリンカといっしょに、子《こ》どもたちのところまでやってきて、いいました。

「そうねえ、むすめがいるといいわねえ。さがしていたのよ。」と、女《おんな》の子《こ》のヴェラがいいました。

「そのむすめは、何《なに》ができるのかね。」イェンダが聞《き》きました。

「なんでもできますよ。料理《りょうり》でしょ。そうじ、せんたく、でんぐり返《がえ》しもできます。」

「そうだねえ、そういうむすめなら、考《かんが》えてもいいな。」と、子《こ》どもたちはいいました。

「それから、あと、何《なに》ができるの？」と、さらにヴェラが聞《き》きました。

「いろんなことができるんですよ。」こねこが答《こた》えました。

「むすめは、ねむることも、食《た》べることも、ジャンプすることも、すわることも、横《よこ》になることもできて、手《て》つだってあげれば、かべをはうこともできるんです。」と、こねこはいいました。

「かべから落《お》ちても、なくことはありません。」と、こいぬがいいました。

「ちょうど、そんなむすめをさがしていました。」子《こ》どもたちは、はっきりいいました。そして、たずねました。「おいくらでしょうか？」

「ただです。むすめを好《す》きになってくださるなら、ただでさしあげます。」

子《こ》どもたちは、赤《あか》と青《あお》の服《ふく》を着《き》た男《おとこ》の子《こ》の人形《にんぎょう》を持《も》っていました。それを王子《おうじ》さまにして、人形《にんぎょう》のヤーリンカが王子《おうじ》さまのおよめさんになればいいな、とこいぬとこねこは思《おも》いました。そこで、子《こ》どもたちに、むすめのヤーリンカをわたすと、けっこんしきをあげることにしました。こいぬとこねこは、またエプロンをマントのように着《き》て、王《おう》さまとおきさきさまとして、けっこんしきにあらわれました。

こうして、こいぬとこねこは、たいくつしていた子《こ》どもたちと楽《たの》しくおしばいをしてあそびました。

一週間後《いっしゅうかんご》、子《こ》どもたちのかぜは、ほとんどなおって、外《そと》に行《い》くことができるようになりました。その日《ひ》は、ちょうど、聖《せい》ミクラーシュのおいわいの日《ひ》*でした。

イエンダは、ヴェラにいいました。「ねえ、ヴェラ。こいぬくんとこねこさんに、何《なに》かお礼《れい》をしたいと思《おも》うんだ。かぜをひいて外《そと》に出《で》られなかったとき、おしばいをしに来《き》てくれたでしょう。ぼくは、聖《せい》ミクラーシュになるから、ヴェラは天使《てんし》になって。こいぬくんとこねこさんに、何《なに》かおくりものをしようよ。」

イエンダとヴェラは、白《しろ》いエプロンとスカートに着《き》がえました。イエンダはさらに、わたで白《しろ》いひげと、紙《かみ》で背《せ》の高《たか》いぼうしを作《つく》ると、すっかり聖《せい》ミクラーシュになりきりました。そして、いっしょに出《で》かけました。聖《せい》ミクラーシュのおいわいの日《ひ》は、聖《せい》ミクラーシュ、天使《てんし》、悪魔《あくま》の三人《さんにん》がそろうのが正《ただ》しいのですが……。大声《おおごえ》を出《だ》す黒《くろ》い悪魔《あくま》をつれていったら、こいぬとこねこは、おどろいてこしをぬかすでしょう。そこで、子《こ》どもたちは、ふたりで行《い》くことにしたのです。

こいぬとこねこが、聖《せい》ミクラーシュと天使《てんし》を見《み》たら、どんなにおどろくことでしょう。考《かんが》えると、わくわくしました。

子《こ》どもたちは、こいぬとこねこの家《いえ》のドアをトントンとたたくと、中《なか》に入《はい》っていきました。でも、びっくりしたのは、子《こ》どもたちのほうでした。そこにはもう、聖《せい》ミクラーシュと天使《てんし》がいたからです！　こいぬとこねこのすがたは、どこにも見《み》あたりません。すっかりあわてた子《こ》どもたちは、ささやきました。

「どうしよう！　ここにも聖《せい》ミクラーシュと天使《てんし》がいたよ。ぼくたちも聖《せい》

ミクラーシュと天使《てんし》なんだけど。こいぬくんとこねこさんは、どこだろう?」

じつは、こいぬとこねこも、子《こ》どもたちをびっくりさせようと思《おも》って、聖《せい》ミクラーシュと天使《てんし》にへんそうしていたのでした。ちょうど、こいぬとこねこが、着《き》がえおわって、出《で》かけようとしていたところへ、ひょっこり別《べつ》の聖《せい》ミクラーシュと天使《てんし》がやってきたのでした。

みんなは、もう何《なに》がなんだか、わけがわからなくなりました。子《こ》どもたちは、にげだそうとしました。こいぬとこねこも、すぐにベッドの下《した》にかくれようとしました。

そのとき、こいぬは気《き》がつきました。もうひとりの聖《せい》ミクラーシュのくつが、イェンダのくつと同《おな》じだったのです。天使《てんし》のはいているくつは、ヴェラのくつと同《おな》じものでした。

イエンダも、ハッとしました。もうひとりの聖《せい》ミクラーシュの足《あし》が、こいぬの足《あし》にそっくりで、天使《てんし》の足《あし》は、こねこの足《あし》にそっくりでした。

「なあんだ、こいぬくんと、こねこさんじゃないか！　ぼくたちは、イエンダとヴェラだよ！」と、イエンダは声《こえ》をあげました。

聖《せい》ミクラーシュにへんそうしていたのは、イエンダとこいぬだったのです。天使《てんし》になっていたのは、ヴェラとこねこでした。みんなで顔《かお》を見《み》あわせると、おかしくなって大《おお》わらいをしました。あまりにもわらったので、聖《せい》ミクラーシュの白《しろ》いひげが、おっこちてしまいました。

それから、みんなは、プレゼントをわたしました。こいぬはイエンダに、ほしたイチジクを、こねこはヴェラに、ほしたナツメヤシの実《み》をあげました。

イエンダはこいぬに、おもちゃの小《ちい》さなこいぬを、ヴェラはこねこに、おもちゃの小《ちい》さなこねこをあげました。

聖《せい》ミクラーシュのおいわいの日《ひ》に、すべてがまあるくおさまって、みんなは、とてもうれしそうでした。

＊聖《せい》ミクラーシュのおいわいの日《ひ》……十二月六日《がつ か》は、聖《せい》ミクラーシュ（聖《せい》ニコラウス）の日《ひ》。聖《せい》ミクラーシュと天使《てんし》と悪魔《あくま》に扮《ふん》した大人《おとな》が、小《ちい》さい子《こ》どものいる家々《いえいえ》をまわり、一年間《ねんかん》いい子《こ》でいたかどうか、たずねる。いい子《こ》にはお菓子《かし》や果物《くだもの》など小《ちい》さな贈《おく》り物《もの》を、悪《わる》い子《こ》には石炭《せきたん》やじゃがいもを渡《わた》す風習《ふうしゅう》がある。

訳者《やくしゃ》あとがき

『こいぬとこねこのおかしな話《はなし》』は、チェコの画家《がか》であり作家《さっか》のヨゼフ・チャペック(一八八七―一九四五)が、お話《はなし》と絵《え》を手がけた子どもの本です。チェコでは、今《いま》でも一家《いっか》に一冊《さつ》あると言《い》われるほど長《なが》く読《よ》みつがれ、児童文学《じどうぶんがく》の古典《こてん》と言《い》われています。そして、後《のち》のチェコの児童文学《じどうぶんがく》に大きな影響《えいきょう》を与《あた》えました。

この話《はなし》は、もともとヨゼフの娘《むすめ》のアレナ(愛称《あいしょう》アレンカ)が幼《おさな》いときに、アレナのために創作《そうさく》されたと伝《つた》えられています。ヨゼフが、弟《おとうと》のカレル・チャペック(一八九〇―一九三八)と同《おな》じ「人民新聞《じんみんしんぶん》」編集局《へんしゅうきょく》にいたときに、新聞《しんぶん》の子どものコーナーに連載《れんさい》しました。さらにいくつか話《はなし》を書《か》き足《た》し、全十話《ぜんわ》の『こいぬとこねこのおかしな話《はなし》』が、一九二九年、プラハのOtakar Štorch-Marien社《しゃ》から出版《しゅっぱん》されました。どの話《はなし》にも、カラーとモノクロの挿絵《さしえ》が入り、本のデザインもヨゼフ自《みずか》ら手がけました。

日本では『こいぬとこねこはゆかいななかま』(井出弘子《いでひろこ》、いぬいとみこ訳《やく》、童心社《どうしんしゃ》、一九六八年)が児童書《じどうしょ》として、原書《げんしょ》に近《ちか》い判型《はんけい》のカラー挿絵《さしえ》入りで出版《しゅっぱん》され、その後《ご》、同《おな》じ訳者《やくしゃ》の『こいぬとこねこは愉快《ゆかい》な仲間《なかま》』(河出書房新社《かわでしょぼうしんしゃ》、一九九六年)、同名《どうめい》の本が一九九九年に河出文庫《かわでぶんこ》から刊行《かんこう》されました。

登場《とうじょう》する主人公《しゅじんこう》のこいぬとこねこは、森の近《ちか》くの小さな一軒家《いっけんや》に住《す》み、なんでも人間《にんげん》の大人と同《おな》じようにやってみたいと思《おも》っていますが、ときどき失敗《しっぱい》をしでかします。少《すこ》しとぼけたこいぬと、しっかり者《もの》のこねこが、おしゃべりをしながら、床《ゆか》そうじをしたり、ケーキを焼《や》いたり、手紙《てがみ》を書《か》いたり、いろいろなことに挑戦《ちょうせん》します。


私《わたし》がこの本を知《し》ったのは一九七〇年代《ねんだい》の初《はじ》め、プラハに家族《かぞく》と一緒《いっしょ》に住《す》んでいたときのことです。そのころ、今《いま》のチェコ共和国《きょうわこく》とスロバキア共和国《きょうわこく》はひとつの国《くに》で、チェコスロバキア社会主義《しゃかいしゅぎ》共和国《きょうわこく》と呼《よ》ばれていました。現地校《げんちこう》の低学年《ていがくねん》だった私《わたし》は、友人《ゆうじん》の家《いえ》でこの本をひと目見て気に入りました。こいぬとこねこの絵《え》が、これまで見たどの本とも違《ちが》って、とてもかわいらしかったからです！

友人《ゆうじん》がその中でも一番有名《いちばんゆうめい》な「こいぬとこねこが床《ゆか》をあらった話《はなし》」を、チェコ語《ご》がまだよくわからなかった私《わたし》に、楽《たの》しそうに話《はな》して聞《き》かせてくれました。

当時《とうじ》も『こいぬとこねこのおかしな話《はなし》』は人気で、数少《かずすく》なかった夜《よる》の子ども向《む》けテレビ番組《ばんぐみ》で、唯一《ゆいいつ》の楽《たの》しみだった「ヴェチェルニーチェク」で、こいぬとこねこのアニメーションも見ました。子どもながらに、こいぬやこねこの体《からだ》で床《ゆか》を洗《あら》ったり、洗濯物《せんたくもの》のように干《ほ》すなんてありえない、と思《おも》いながらも、面白《おもしろ》いのでくり返《かえ》し読《よ》んだ話《はなし》でした。

今回《こんかい》、翻訳《ほんやく》するためにあらためて『こいぬとこねこのおかしな話《はなし》』を読《よ》むうちに、チェコスロバキアで過《す》ごした子ども時代《じだい》をいろいろと思《おも》い出しました。

スキー教室《きょうしつ》でのできごとです。大部屋《おおべや》でふざけていたときに、私《わたし》はベッドの角《かど》に頭《あたま》をぶつけて泣《な》くはめに。すると、親友《しんゆう》エヴァのお母《かあ》さんは、私《わたし》の目をのぞきこむようにして「昔々《むかしむかし》あるところにね……」と昔話《むかしばなし》を語《かた》り出したのです。お話《はなし》を聞《き》いているうちに、さっきの痛《いた》みはどこへやら。「ふたりのねまきちゃんの話《はなし》」の中で、こいぬが足にけがをして、こねこにお話《はなし》をせがんだときのようです。

チェコでは、子どもは夜《よる》早く寝《ね》るものとしつけられていました。子どもが寝《ね》てから、大人の時《じ》間《かん》が始《はじ》まるのです。そのかわり、ふとんに入った子どもに、親《おや》がお話《はなし》を読《よ》む習慣《しゅうかん》がありますし、言葉《ことば》を覚《おぼ》え始《はじ》めた小さい子には、韻《いん》を踏《ふ》んだわらべうたなどを、よく聞《き》かせています。チェコの人は、そんなわけでとても語《かた》り上手《じょうず》、会話《かいわ》好《ず》きなのです。

「こいぬとこねこがおしばいをした話《はなし》」を読《よ》むと、お姫《ひめ》さまごっこをしてチェコの友《とも》だちと遊《あそ》んだことや、十二月六日の聖《せい》ミクラーシュ(聖《せい》ニコラウス)の日の晩《ばん》に、聖《せい》ミクラーシュと天使《てんし》と悪魔《あくま》が突然《とつぜん》わが家《や》にやってきて、震《ふる》えあがるほど怖《こわ》かった思《おも》い出《で》もよみがえりました。

チェコで愛読《あいどく》されてきた本書《ほんしょ》ですが、数奇《すうき》な運命《うんめい》をたどりました。「こいぬとこねこが十月二十八日をおいわいした話《はなし》」は、第《だい》一次《じ》世《せ》界大戦後《かいたいせんご》、オーストリア＝ハンガリー帝国《ていこく》からチェコスロバキア共和国《きょうわこく》として独立《どくりつ》した記《き》念《ねん》すべき十月二十八日にまつわる話《はなし》で、こいぬとこねこが、お祝《いわ》いの旗《はた》を飾《かざ》りたくて奔走《ほんそう》します。

第《だい》二次《じ》世《せ》界大戦後《かいたいせんご》、チェコスロバキアの体制《たいせい》が共産主義《きょうさんしゅぎ》になると、チェコスロバキア共和国初代大統領《きょうわこくしょだいだいとうりょう》トマーシュ・マサリクの名前《なまえ》が出てくるこの話《はなし》は、検閲《けんえつ》にかかりました。第《だい》七版《はん》(一九五三年)から、民主化《みんしゅか》を実現《じつげん》したビロード革命《かくめい》(一九八九年)の数年後《すうねんご》、第《だい》十八版《ぱん》(一九九二年)までの約《やく》四十年間《かん》、この話《はなし》は本から削除《さくじょ》されたままでした。再《ふたた》び全《ぜん》十話《わ》の完全《かんぜん》な本が出版《しゅっぱん》されたのは、一九九六年のことでした。

作家《さっか》ヨゼフ・チャペックは、一八八七年三月二十三日、ボヘミア(現在のチェコ共和国《きょうわこく》の西部・中部)の東部《とうぶ》フロノフで医師《いし》の父《ちち》、民謡《みんよう》などを収集《しゅうしゅう》する母《はは》のもとに生まれました。年子の姉《あね》のヘレナ、三歳《さい》下の弟《おとうと》カレルの三人姉弟《してい》。親《おや》の勧《すす》めで織物《おりもの》工業《こうぎょう》学校で学び、一時《いちじ》は織物工場《おりものこうじょう》で働《はたら》きましたが合《あ》わず、志《こころざ》していた美術《びじゅつ》の道《みち》へ進《すす》むために、プラハ美術工芸学校《びじゅつこうげいがっこう》へと進学《しんがく》しました。後《のち》に家族《かぞく》はプラハへ転居《てんきょ》し、再《ふたた》び同居《どうきょ》した弟《おとうと》カレルと、早くから共同《きょうどう》で執筆《しっぴつ》し、チャペック兄弟《きょうだい》として世《よ》に登場《とうじょう》します。フランス留学《りゅうがく》と、スペインへの旅行《りょこう》を経験《けいけん》し、キュビズム絵画《かいが》に傾倒《けいとう》します。さらに、カレルや、著名《ちょめい》な作家《さっか》の本の装丁《そうてい》デザイン、カレルと共同《きょうどう》で脚本執筆《きゃくほんしっぴつ》、舞台美術《ぶたいびじゅつ》も手がけたのです。カレルと同《おな》じ新聞社《しんぶんしゃ》に籍《せき》を置《お》き、イラスト(諷刺画《ふうしが》)や美術評論《びじゅつひょうろん》を担当《たんとう》しました。

絵画《かいが》を描《えが》き続《つづ》ける一方《いっぽう》で、小説《しょうせつ》やエッセイ、児童文学《じどうぶんがく》などを世《よ》に送《おく》り出しました。児童文学《じどうぶんがく》に『さあ、みんなおはなししよう』(新聞《しんぶん》に連載《れんさい》されていたものが没後《ぼつご》、一九五四年に出版《しゅっぱん》)(井出弘子《いでひろこ》訳《やく》、童心社《どうしんしゃ》、一九七九年)など。児童文学《じどうぶんがく》の挿絵《さしえ》の代表的《だいひょうてき》なものに、カレル作《さく》の『長《なが》い長《なが》いお医者《いしゃ》さんの話《はなし》』(一九三一年)(中野好夫《なかのよしお》訳《やく》、岩波書店《いわなみしょてん》、一九五二年)、カレル・ポラーチェク作《さく》『魔女《まじょ》のむすこたち』(一九三三年)(小野田澄子《おのだすみこ》訳《やく》、岩波書店《いわなみしょてん》、一九六九年)、ヴァーツラフ・ジェザーチ作《さく》『かじ屋《や》横丁事件《よこちょうじけん》』(一九三四年)(井出弘子《いでひろこ》訳《やく》、岩波書店《いわなみしょてん》、一九七四年)があります。

ちなみに、ロボットという言葉《ことば》が初《はじ》めて使《つか》われたのは、弟《おとうと》カレルの戯曲《ぎきょく》『ロボット(R. U. R)』ですが、ロボットという言葉《ことば》はどのように生まれたか、そのいきさつをカレルが書《か》いています。戯曲《ぎきょく》を執筆《しっぴつ》中のカレルが、人工《じんこう》の労働者《ろうどうしゃ》の呼《よ》び方《かた》を思《おも》いつかずヨゼフに相談《そうだん》しに行《い》くと、絵《え》を描《か》いていたヨゼフは刷毛《はけ》を口にくわえながら「ロボットにしたら」と答《こた》えたそうです。

しかし、旺盛《おうせい》な創作活動《そうさくかつどう》をしていたヨゼフたちにとって、隣国《りんごく》ドイツで高《たか》まるナチス・ドイツの不穏《ふおん》な動《うご》きに無関心《むかんしん》ではいられませんでした。カレルとヨゼフは、ペンや絵筆《えふで》で抵抗《ていこう》をします。しかし、弟《おとうと》カレルは別荘《べっそう》で、洪水《こうずい》の後《あと》の庭《にわ》の片付《かたづ》けで風邪《かぜ》をこじらせ、一九三八年十二月にあっけなく亡《な》くなってしまいました。

翌《よく》三九年三月、チェコはドイツに占領《せんりょう》されます。弟《おとうと》を亡《な》くして失意《しつい》の中、以前《いぜん》から亡命《ぼうめい》を勧《すす》められていたのにもかかわらず、祖国《そこく》に残《のこ》ることを選《えら》んだヨゼフ。第《だい》二次世界大戦《じせかいたいせん》が始《はじ》まった一九三九年九月、ヨゼフの別荘《べっそう》にゲシュタポが来《き》て連行《れんこう》され、正式《せいしき》な裁判《さいばん》の手続《てつづ》きを経《へ》ずに強制収容所《きょうせいしゅうようじょ》へと送《おく》られました。いくつかの収容所《しゅうようじょ》を転《てん》々《てん》とし、最後《さいご》は一九四五年四月、解放《かいほう》を目前《もくぜん》にして、ドイツのベルゲン・ベルゼン収容所《しゅうようじょ》でチフスにかかって亡《な》くなったとされていますが、確《たし》かなことはわかっていません。

弟《おとうと》カレルの著書《ちょしょ》で、挿絵《さしえ》をヨゼフが描《えが》いた『長《なが》い長《なが》いお医者《いしゃ》さんの話《はなし》』や『園芸《えんげい》家《か》十二カ月』(一九二九年)に見るように、多《おお》くの時間《じかん》を一緒《いっしょ》に過《す》ごして仕事《しごと》を共《とも》にした仲《なか》の良《よ》い兄弟《きょうだい》、ヨゼフとカレル。ふたりはプラハ十区《く》に二軒《にけん》がくっついたような家を建《た》てて住《す》んでいました。今《いま》、兄弟《きょうだい》の家《いえ》が残《のこ》る通《とお》りは、チャペック兄弟通《きょうだいどお》りという名前《なまえ》がつけられています。

先に弟《おとうと》カレルの『長《なが》い長《なが》いお医者《いしゃ》さんの話《はなし》』が入っている岩波少年文庫《いわなみしょうねんぶんこ》に、ヨゼフの『こいぬとこねこのおかしな話《はなし》』が今回仲間入《こんかいなかまい》りすることを、きっとチャペック兄弟《きょうだい》は喜《よろこ》んでくれるのではないかな、と私《わたし》はひそかに思《おも》っています。

ヨゼフ・チャペック生誕《せいたん》一三〇年にあたる二〇一七年三月二十三日　東京《とうきょう》にて

木《き》村《むら》有《ゆう》子《こ》

本書《ほんしょ》は、二〇一二年のTriáda社版《しゃばん》から翻訳《ほんやく》しました。Triáda社版《しゃばん》の編集後記《へんしゅうこうき》には、一九三七年版《ばん》を底本《ていほん》にしたこと、その理由《りゆう》として、ヨゼフの生前《せいぜん》に出た最後《さいご》の本であり、作家《さっか》本人が関《かか》わったものであるため、と述《の》べられています。

訳者　木村有子
東京都生まれ。1970-73年，プラハの小学校に通う。1984年，日本大学芸術学部卒業。1984-86年，プラハ・カレル大学。新聞社勤務の後，1989-94年，ドイツのフランクフルト，ベルリンの大学でスラヴ語圏の言語を学ぶ。翻訳，エッセイ，講演などを通して，チェコの文化を日本に紹介している。児童書の訳書に『火の鳥ときつねのリシカ——チェコの昔話』『金色の髪のお姫さま——チェコの昔話集』(岩波書店)，絵本の訳書に「もぐらくんの絵本シリーズ」(偕成社)，『おとぎばなしをしましょう』(プチグラパブリッシング)，『ゆかいなきかんしゃ』(ひさかたチャイルド)，アニメーション映画の字幕翻訳に「真夏の夜の夢」など，多数。

こいぬとこねこのおかしな話　　岩波少年文庫 240

2017年5月16日　第1刷発行
2023年1月16日　第4刷発行

訳　者　木村有子《きむらゆうこ》

発行者　坂本政謙

発行所　株式会社 岩波書店
〒101-8002 東京都千代田区一ツ橋 2-5-5
電話案内 03-5210-4000
https://www.iwanami.co.jp/

印刷製本・法令印刷　カバー・半七印刷

ISBN 978-4-00-114240-2　Printed in Japan
NDC 989　200 p.　18 cm

岩波少年文庫創刊五十年――新版の発足に際して

心躍る辺境の冒険、海賊たちの不気味な唄、垣間みる大人の世界への不安、魔法使いの老婆が棲む深い森、無垢の少年たちの友情と別離……幼少期の読書の記憶の断片は、個個人のその後の人生のさまざまな局面で、あるときは勇気と励ましを与え、またあるときは孤独への慰めともなり、意識の深層に蔵され、原風景として消えることがない。

岩波少年文庫は、今を去る五十年前、敗戦の廃墟からたちあがろうとする子どもたちに海外の児童文学の名作を原作の香り豊かな平明正確な翻訳として提供する目的で創刊された。幸いにして、新しい文化を渇望する若い人びとをはじめ両親や教育者たちの広範な支持を得ることができ、三代にわたって読み継がれ、刊行点数も三百点を超えた。

時は移り、日本の子どもたちをとりまく環境は激変した。自然は荒廃し、物質的な豊かさを追い求めた経済の成長は子どもの精神世界を分断し、学校も家庭も変貌を余儀なくされた。いまや教育の無力さえ声高に叫ばれる風潮であり、多様な新しいメディアの出現も、かえって子どもたちを読書の楽しみから遠ざける要素となっている。

しかし、そのような時代であるからこそ、歳月を経てなおその価値を減ぜず、国境を越えて人びとの生きる糧となってきた書物に若い世代がふれることは、彼らが広い視野を獲得し、新しい時代を拓いてゆくために必須の条件であろう。ここに装いを新たに発足する岩波少年文庫は、創刊以来の方針を堅持しつつ、新しい海外の作品にも目を配るとともに、既存の翻訳を見直し、さらに、美しい現代の日本語で書かれた文学作品や科学物語、ヒューマン・ドキュメントにいたる、読みやすいすぐれた著作も幅広く収録してゆきたいと考えている。

幼いころからの読書体験の蓄積が長じて豊かな精神世界の形成をうながすとはいえ、読書は意識して習得すべき生活技術の一つでもある。岩波少年文庫は、その第一歩を発見するために、子どもとかつて子どもだったすべての人びとにひらかれた書物の宝庫となることをめざしている。

（二〇〇〇年六月）

岩波少年文庫

017 ゆかいなホーマーくん
マックロスキー作／石井桃子訳

018 エーミールと探偵たち
019 エーミールと三人のふたご
060 点子ちゃんとアントン
138 ふたりのロッテ
141 飛ぶ教室
ケストナー作／池田香代子訳

020 イソップのお話
河野与一編訳

〈ドリトル先生物語・全13冊〉
021 ドリトル先生アフリカゆき
022 ドリトル先生航海記
023 ドリトル先生の郵便局
024 ドリトル先生のサーカス
025 ドリトル先生の動物園
026 ドリトル先生のキャラバン
027 ドリトル先生と月からの使い
028 ドリトル先生月へゆく
029 ドリトル先生月から帰る
030・1 ドリトル先生と秘密の湖 上下
032 ドリトル先生と緑のカナリア
033 ドリトル先生の楽しい家
ロフティング作／井伏鱒二訳

〈ナルニア国ものがたり・全7冊〉
034 ライオンと魔女
035 カスピアン王子のつのぶえ
036 朝びらき丸 東の海へ
037 銀のいす
038 馬と少年
039 魔術師のおい
040 さいごの戦い
C・S・ルイス作／瀬田貞二訳

041 トムは真夜中の庭で
フィリパ・ピアス作／高杉一郎訳

042 真夜中のパーティー
250 まぼろしの小さい犬
フィリパ・ピアス作／猪熊葉子訳

043 お話を運んだ馬
074 まぬけなワルシャワ旅行
シンガー作／工藤幸雄訳

044 冒険者たち—ガンバと15ひきの仲間
045 グリックの冒険
046 ガンバとカワウソの冒険
斎藤惇夫作／薮内正幸画

231・2 哲夫の春休み 上下
斎藤惇夫作／金井田英津子画

047 不思議の国のアリス
048 鏡の国のアリス
ルイス・キャロル作／脇 明子訳

▷書名の上の番号：001～ 小学生から，501～ 中学生から

岩波少年文庫

073 ピーター・パン
J・M・バリ作／厨川圭子訳

075 クルミわりとネズミの王さま
ホフマン作／上田真而子訳

077 ピノッキオの冒険
コッローディ作／杉浦明平訳

078 肥後の石工
132 浦上の旅人たち
今西祐行作

081 クジラがクジラになったわけ
テッド・ヒューズ作／河野一郎訳

082 ムギと王さま—本の小べや1
083 天国を出ていく—本の小べや2
ファージョン作／石井桃子訳

086 ぼくがぼくであること
山中 恒作

087 きゅうりの王さま やっつけろ
ネストリンガー作／若林ひとみ編

088 ほんとうの空色
バラージュ作／徳永康元訳

089 ネギをうえた人—朝鮮民話選
金素雲編

090・1 アラビアン・ナイト 上下
ディクソン編／中野好夫訳

093・4 トム・ソーヤーの冒険 上下
マーク・トウェイン作／石井桃子訳

242・3 ハックルベリー・フィンの冒険 上下
マーク・トウェイン作／千葉茂樹訳

095 マリアンヌの夢
キャサリン・ストー作／猪熊葉子訳

096 けものたちのないしょ話
—中国民話選
君島久子編訳

097 あしながおじさん
ウェブスター作／谷口由美子訳

098 ごんぎつね
新美南吉作

099 たのしい川べ
ケネス・グレーアム作／石井桃子訳

101 みどりのゆび
ドリュオン作／安東次男訳

102 少女ポリアンナ
103 ポリアンナの青春
エリナー・ポーター作／谷口由美子訳

143 ぼく、デイヴィッド
エリナー・ポーター作／中村妙子訳

104 月曜日に来たふしぎな子
ジェイムズ・リーブズ作／神宮輝夫訳

106・7 ハイジ 上下
シュピリ作／上田真而子訳

108 お姫さまとゴブリンの物語
109 カーディとお姫さまの物語
133 かるいお姫さま
227・8 北風のうしろの国 上下
マクドナルド作／脇 明子訳

▷書名の上の番号：001～ 小学生から，501～ 中学生から

岩波少年文庫

110・1 思い出のマーニー 上下
ロビンソン作／松野正子訳

112 オズの魔法使い
フランク・ボーム作／幾島幸子訳

255 ガラスの犬
―ボーム童話集
フランク・ボーム作／津森優子訳
坂口友佳子絵

113 ペロー童話集
天沢退二郎訳

114 フランダースの犬
ウィーダ作／野坂悦子訳

115 元気なモファットきょうだい
116 ジェーンはまんなかさん
117 すえっ子のルーファス
エスティス作／渡辺茂男訳

118 モファット博物館
エスティス作／松野正子訳

120 青い鳥
メーテルリンク作／末松氷海子訳

124・5 秘密の花園 上下
バーネット作／山内玲子訳

162・3 消えた王子 上下
バーネット作／中村妙子訳

209 小公子
216 小公女
バーネット作／脇 明子訳

126 太陽の東 月の西
アスビョルンセン編／佐藤俊彦訳

127 モ モ
エンデ作／大島かおり訳

207 ジム・ボタンの機関車大旅行
208 ジム・ボタンと13人の海賊
エンデ作／上田真而子訳

236 魔法の学校
―エンデのメルヒェン集
エンデ作／池内 紀、佐々木田鶴子訳他

249 魔法のカクテル
エンデ作／川西芙沙訳

131 星の林に月の船
―声で楽しむ和歌・俳句
大岡 信編

134 小さい牛追い
135 牛追いの冬
ハムズン作／石井桃子訳

136・7 とぶ船 上下
ヒルダ・ルイス作／石井桃子訳

139 ジャータカ物語
―インドの古いおはなし
辻直四郎、渡辺照宏訳

142 まぼろしの白馬
エリザベス・グージ作／石井桃子訳

144 きつねのライネケ
ゲーテ作／上田真而子編訳
小野かおる画

▷書名の上の番号：001〜 小学生から，501〜 中学生から

岩波少年文庫

145 風の妖精たち　ド・モーガン作／矢川澄子訳

147・8 グリム童話集 上下　佐々木田鶴子訳／出久根育絵

150 あらしの前

151 あらしのあと　ドラ・ド・ヨング作／吉野源三郎訳

152 北のはてのイービク　フロイゲン作／野村 泫訳

153 美しいハンナ姫　ケンジョジーナ作／マルコーラ絵／足達和子訳

154 シュトッフェルの飛行船　エーリカ・マン作／若松宣子訳

155 オタバリの少年探偵たち　セシル・デイ＝ルイス作／脇 明子訳

156・7 ふたごの兄弟の物語 上下

214・5 七つのわかれ道の秘密 上下

244 青い月の石　トンケ・ドラフト作／西村由美訳

158 マルコヴァルドさんの四季　カルヴィーノ作／関口英子訳

159 ふくろ小路一番地　ガーネット作／石井桃子訳

160 指ぬきの夏

201 土曜日はお楽しみ　エンライト作／谷口由美子訳

161 黒ねこの王子カーボネル　バーバラ・スレイ作／山本まつよ訳

164 ふしぎなオルガン　レアンダー作／国松孝二訳

165 りこうすぎた王子　ラング作／福本友美子訳

166 青矢号 おもちゃの夜行列車

200 チポリーノの冒険

213 兵士のハーモニカ ―ロダーリ童話集　ロダーリ作／関口英子訳

〈アーミテージ一家のお話1〜3〉

167 おとなりさんは魔女

168 ねむれなければ木にのぼれ

169 ゾウになった赤ちゃん　エイキン作／猪熊葉子訳

248 しずくの首飾り　エイキン作／猪熊葉子訳

▷書名の上の番号：001〜 小学生から，501〜 中学生から